ESTOICISMO

Descubre la filosofía de los antiguos estoicos para aumentar la resistencia, desarrollar la sabiduría y mejorar la disciplina para superar cualquier adversidad

Leon Simonds

Sumario

Introducción

En la actualidad, existe una gran cantidad de herramientas que pueden ayudarte a mejorar la forma en la que vives tu vida. Si lo que quieres es cambiar por completo o dirigirte en la vía más adecuada para saber aprovechar todo tu tiempo, entonces el estoicismo es lo que debes incorporar en tu rutina.

Sabemos bien que la forma acelerada en la que estamos viviendo nos impide concentrarnos completamente en el presente, ya que estamos pensando a cada momento en todos los pasos que daremos a futuro para concretar alguna meta o un sueño.

Sin embargo, no tomamos en cuenta que el futuro realmente es bastante incierto por lo que concentrarnos en el presente es todo lo que necesitamos para poder vivir plenamente y aprovechar así muy bien todo el tiempo que tenemos para vivir nuestras vidas.

Para muchos unas de las cosas más difíciles de alcanzar son la felicidad y la resiliencia, por lo que cuando se encuentran frente a diversas adversidades les es muy difícil vencerlas para continuar su camino con completa normalidad.

Si eres de los que piensa de esta manera, detente un momento, ya que existen formas de que puedas vivir y experimentar toda la felicidad que necesitas justo ahora, así como encontrar la solución y el camino correcto para dejar atrás todas tus preocupaciones y superar todas las adversidades que en este momento la vida está poniendo frente a ti.

A través del estoicismo eres capaz de controlar tus emociones e impulsos para poder pensar de forma objetiva en una solución para todos tus problemas sin desviarte del camino que ya has establecido para tu vida y sin modificar tus planes de vivir tranquilamente.

Aunque desde este punto pienses que es muy difícil de lograr, cuando finalices este texto ya podrás poner en práctica todo lo aprendido y te darás cuenta de que en muy poco tiempo tu vida puede cambiar drásticamente para poder llegar a alcanzar todo eso que deseas sin sentir que estás poniendo un esfuerzo exagerado que no te dará resultados ni a corto ni a largo plazo. Permítete incorporar esta corriente filosófica en tu vida para que puedas pronto vivir la plenitud sabiendo sortear todos los obstáculos que siempre aparecen de forma inesperada a lo largo de toda la vida.

Capítulo I
Orígenes y principios fundamentales del estoicismo

Para poder comprender la esencia de cualquier corriente filosófica a implementar, es necesario descubrir su origen y también todos los fundamentos sobre los cuales se han construido todos sus argumentos. Entonces en este caso enfoquémonos en desvelar los misterios que existen en todos los principios de esta corriente filosófica y además conozcamos un poco más sobre su origen y cómo su existencia ha logrado mejorar la vida de muchas personas.

Zenón de Citio parecía ser un gran pensador, logró crear una estructura completamente nueva a partir de fragmentos de todas las filosofías que había aprendido, por supuesto, aportando sus propias ideas para darle una forma consistente a esta nueva corriente que estaba por surgir. Pero como era de esperarse este filósofo no guardaría los pensamientos para sí mismo, sino que buscarían un lugar para poder propagar estas ideas que había establecido a partir de sus conocimientos.

En una galería techada dentro del mercado de Atenas estableció su punto de encuentro para poder profesar el estoicismo y que este se hiciera conocido a todos los ciudadanos que escucharon su palabra.

Pero fue justo este lugar el que le dio el nombre a esta corriente ya, que las edificaciones donde se encontraba pregonando sus pensamientos eran conocidas como "Stoa" por lo que irremediablemente esta filosofía terminaría por llevar el nombre de estoicismo.

Gracias a la forma interesante en la que Zenón presentaba sus ideas a todos los oyentes atrajo la atención no solo de personas de su clase, sino también de otros círculos sociales superiores tanto así que de hecho algunos de los gobernantes de ese momento encontraban beneficioso el aporte que sus palabras brindaban y no temían tomar estas como referencia y hacerle saber al pueblo la existencia de esta filosofía.

Gracias a su amplia aceptación en todos los niveles sociales que esta filosofía se popularizó profundamente durante sus días e inclusive logró trascender en el tiempo tal como podemos observar en la actualidad.

La construcción y el fundamento principal del estoicismo comparte la idea de que todo debe llevarse a un punto más práctico, inclusive al hablar de sus mismas ideas, Zenón prefería dedicar poco tiempo a cualquier debate que tuviera que enfrentar respecto a esto.

De hecho, la mayoría estaba de acuerdo en que todos estos momentos en los que se conversaba activamente sobre el estoicismo debían aprovecharse para resolver los problemas que estaban presentando las personas que lo escuchaba.

Es decir, los ideales se utilizaban con el fin de encontrar una solución inmediata ante cualquier situación perjudicial bien sea adversidades que estuvieron presentando los pobladores así como enfermedades o encontrar un camino para tomar una decisión importante que podría afectar a la mayoría; en esto es lo que invertía en el tiempo las personas que seguían esta corriente en vez de quedarse a conversar de forma extensa sobre cualquier problema así que definitivamente la practicidad es una de las características en las que se basó la creación de este movimiento.

Debido a la naturaleza simple y efectiva el estoicismo se mostró como la solución inmediata a una gran cantidad de problemas, debido a que los ideales podían amoldarse a los inconvenientes sin importar su magnitud.

Gracias a esto todo tipo de personas sin importar su estrato social aplicaron el estoicismo en sus vidas y de hecho, se tiene registro de que tanto esclavos como grandes gobernantes creían y se encargaban de impartir esta corriente filosófica en cada una de sus obras.

Como el estoicismo fue producto de la unión entre diversas corrientes filosóficas, pero solo se tomó de estas la forma más práctica y simple de atacar todos los problemas, entonces podemos decir que tiene características específicas que la diferencia de otras tantas corrientes en especial de aquellas de donde se inspiró Zenón, y todos los demás pensadores que continuaron con su visión y se dedicaron a ejemplificar de mejor forma todo lo que este pensador quería expresar a través de sus ideales.

Pero antes de profundizar en estas características es necesario comprender que el estoicismo nos invita a asegurarnos que sabemos realmente lo que significa tomar una acción y esperar a que esta tenga cierto impacto en nuestras vidas bien sea corto o a largo plazo.

Principios fundamentales del estoicismo

Aunque es una corriente simple en cuanto a resultados, las bases sobre las cuales se construían sus ideales están delimitadas por características específicas que siguen un objetivo en específico.

Desglosamos entonces estos principios para entender un poco más sobre esta filosofía y Cómo podemos aplicarla en nuestras vidas.

Virtud, tranquilidad y felicidad

Hablemos en primer lugar de este trío, el cual está creado con el principio de alcanzar la felicidad. A esta la describían como "Eudaimonia", pero en realidad no solo se refiere a la felicidad en la más pura de las definiciones, sino que estaría acercándose más al significa de la autorrealización o el cumplimiento de sus objetivos.

Digamos que esto se traduce de esta forma debido a que es el sentido real que los estoicos le daban a esto. Básicamente el objetivo principal de este pilar fundamental sobre el cual se construyó el estoicismo es el lograr desarrollar todo tu potencial personal, cultivando por supuesto todas las habilidades que necesitas para triunfar y además mostrándote que el camino entre quién eres y quién quieres llegar a ser puede ser mucho más sencillo y práctico de recorrer que tan solo sentarse a pensar en lo que quieres lograr, pero sin tomar ningún tipo de acción frente a esto.

Para estos filósofos que apoyaban la corriente estoicista las bases sobre las cuales podrían construir este objetivo de felicidad o de realización personal eran dos, la virtud y la tranquilidad.

Pero, aunque este par de pilares se muestre de forma equitativa a través de cualquier gráfica los estoicistas dejaban claro que la virtud tenía mucho más peso que la tranquilidad al momento de tratar de alcanzar esa felicidad que se ha propuesta como objetivo principal de vida.

Hablemos entonces de lo importante que era la virtud para estos filósofos y todo lo que quería demostrar a través de esto

Virtud

Esta es sin duda la principal base para poder llegar a alcanzar la felicidad plena, por lo que se ha convertido en un elemento bastante importante para el estoicismo y todos los que practican este estilo de vida.

De hecho, en algún momento los referentes de esta corriente filosófica llegaron a pensar que únicamente actuando con virtud podrías llegar a alcanzar la felicidad que necesitas, sin tener que modificar otras áreas de tu vida o integrar otros elementos para que tuvieras como resultado cumplir con ese objetivo.

En ese momento la virtud se conocía como "Areté" y aunque también tuviera un significado de "excelencia" no dejaba de estar relacionado con el cultivar una serie de habilidades que permitirían a cualquier ser humano alcanzar su máximo potencial en todas sus áreas de vida.

Aunque para muchos esto puede implicar un cambio drástico en sus vidas lo verdaderamente extremo será el resultado que estos tendrán bien sea a corto, mediano o largo plazo.

Pero lo estoicos no hablan solo de integrar absolutamente todas las características y virtudes que existen, sino que la corriente establecía que había cuatro virtudes específicas sobre las cuales podrías construir lo necesario para alcanzar dicha felicidad.

Entonces las virtudes de las cuales hablaban eran la justicia, sabiduría, templanza y coraje. Aunque muchas de estas pudieran tener otra traducción ya que, por ejemplo, cuando se hace referencia a la templanza quizás estén involucrados elementos como el autocontrol y la moderación lo que en realidad hace referencia a la disciplina, así que en algunos textos relacionados con el estoicismo lo puedes encontrar de esta forma.

Todos los exponentes de esta corriente filosófica han recalcado en todo momento que vivir con virtud no es un ejercicio sencillo, por lo que requiere de gran concentración y disponibilidad para lograr convertirlo en tu nuevo estilo de vida.

De hecho, invitan a todas las personas que quieren formar parte de este grupo a pensar en esto como tipo de entrenamiento diario y tener en cuenta que de primer momento no lograrán involucrar estas virtudes de forma ideal, sin embargo, pueden alcanzar la perfección luego de practicar constantemente hasta que este tipo de actitud forme parte de su carácter y personalidad.

Con tan solo cultivar estas cuatro virtudes tendrás conocimiento y habilidades suficientes como para vivir de forma serena y lograr así alcanzar tu felicidad con un esfuerzo que pronto se convertirá en algo cotidiano.

Tranquilidad

A pesar de que este no fuera considerado un pilar fundamental en el inicio del estoicismo, se dieron cuenta de que su presencia era importante para poder alcanzar la felicidad.

Es decir que, aunque esta no tuviera tanta relevancia como la virtud siempre estaban hablando sobre cultivar una mente calmada, sabían que de esta forma se podría observar con claridad todas las situaciones que se manifiestan y pensar en la solución que mejor podría desarrollarse en cierto momento.

Para ese entonces la tranquilidad estaba señalada como "Ataraxia" y su traducción literal era la de serenidad mental.

Por supuesto, esta guarda relación con la virtud ya que se sabe que si tuvimos una vida bajo los valores antes mencionados seguramente esto nos generará una sensación de serenidad en nuestra conciencia.

Así mismo, estos pensadores creían que, si una persona cultivaba una mente demasiado nerviosa y dejaba que cualquier emoción negativa gobernar sobre esta, entonces no tendría la concentración necesaria para tomar las decisiones basadas en la razón.

Esto puede traer consecuencias negativas ya que si no tenemos en la mente en calma somos propensos a tomar cualquier decisión apresurada, aunque esta pueda inclusive dañar a terceros, lo que implica que no podremos obrar desde la virtud sino desde estos sentimientos y emociones capaces de dañar.

En los casos más extremos se dice que la ataraxia está relacionada con un estado de ánimo en el cual no solo nuestros deseos o emociones nos dominarán, sino que en ocasiones carezcamos completamente de ellos lo que resulta una tarea complicada para la mayoría de las personas.

Si tratamos de llevar esto a la realidad, entonces nos damos cuenta de que el estoicismo lo que busca es que podamos ser capaces de observar la verdad de forma imparcial, es decir que mantengamos una posición neutral al momento de tomar decisiones y crear cualquier solución.

La aplicación de la serenidad requiere constancia ya que inclusive en las situaciones más cotidianas nos dejamos llevar por nuestra emoción, por ejemplo, cuando tenemos alguna diferencia con nuestros familiares y terminamos por discutir, aunque sea por un motivo pequeño. En pocas palabras se trata de siempre ser objetivo.

Realidad no es lo mismo que percepción

Normalmente la mayoría de los seres humanos están acostumbrados a establecer un hecho solo desde su punto de vista sin considerar otras perspectivas que estén involucradas en el asunto. Esto quiere decir que cada persona cree tener la verdad en sus manos y busca a toda costa defender este punto de vista y además tratar de que todos vean exactamente lo que ellos ven.

En muchas ocasiones de hecho especulan respecto a un tema y como han llegado a la conclusión de que esto es posible, entonces establecen que este es un hecho sin antes siquiera investigar un poco más solo porque su percepción así lo dicta.

Un ejemplo claro de esto es cuando observamos o conocemos a alguien, es inevitable que tengamos una primera impresión de estas personas por lo que en nuestra mente establecemos que esta es la realidad respecto al individuo en cuestión, sin tener siquiera la oportunidad de conocer la profundidad en pocas palabras lo etiquetamos desde el principio y establecemos que esta etiqueta escogida es la que llevará por siempre.

Lo mismo pasa con los sucesos que pueda presenciar un grupo ya que según su percepción pueden significar una cosa u otra es por esto que existen las opiniones divididas todo el tiempo.

Podemos establecer que esta es la razón por la cual no podemos establecer que una realidad existe de una sola forma solo porque así la percibimos.

Digamos que esta es una de las prácticas más difíciles del estoicismo, ya que estamos acostumbrados a reaccionar inmediatamente ante cualquier estímulo estableciendo así una primera impresión que muy difícilmente podríamos cambiar con el tiempo.

Para esta forma de reaccionar los estoicos nos invitan a controlarnos ante cualquier situación ya que saben de primera mano que nuestra percepción ante estos eventos es lo que nos hace tomar acción de manera apresurada, cuando debería ser solo el evento como tal y no la impresión que tenemos de este.

Entonces el consejo que le estoicismo nos da constantemente es el de cuestionar absolutamente todo, en especial las primeras impresiones ya que de este modo podemos establecer una imagen más real de lo que está sucediendo y tomar así las mejores decisiones basándonos en esto.

Cuando comienzas a cuestionar absolutamente todo te das cuenta de que esas primeras impresiones que has capturado con rapidez pueden ser analizadas desde diferentes perspectivas y tener así la forma más realista de estas.

Un ejemplo claro de esto es cuando cocinamos algo y lo descuidamos por un segundo, si la comida se quema tendemos a reaccionar pensando que no ponemos suficiente atención somos malos cocineros y seguramente no servimos para esto, pero cuando piensas de forma objetiva el hecho o el evento simplemente se trata de que la comida se quemó y nuestra percepción nos hace emitir un juicio negativo hacia nosotros mismos creando toda esta imagen de que no servimos para ciertas actividades y que además carecemos de habilidades para esto.

Lo mismo pasa con los demás ya que si presenciamos cierto evento donde ellos son los protagonistas, entonces emitimos un juicio parecido a este encasillándolos en un papel que seguramente no es un rol que cumplen constantemente si no un hecho que sucedió solo en ese momento.

Solo en algunas ocasiones las primeras impresiones son una representación bastante cercana a la realidad, pero como esto no sucede con frecuencia entonces el estoicismo puso como nombre "phantasias" a dicha percepción que creemos que es la realidad.

Como esta representación no se puede dar por sentado es necesario cuestionar desde el principio por lo que el estoicismo nos invita entonces a apartar el hecho de que se trata de una verdad y más bien manejar todos suceso o información como si se tratara de una hipótesis que hay que analizar.

Esta es la única forma realista en la que podemos tener la capacidad de modificar cualquier primera impresión que tenemos, y así lograremos entonces centrarnos en lo más importante respecto al evento que acaba de suceder y la forma en la que podemos interactuar con él sin perjudicarnos o perjudicar a alguien más. Es la manera en la que el estoicismo nos dice que podemos tomar las decisiones más acertadas creando mejores soluciones a cada momento.

Lo que mayormente sucede cuando no somos capaces de establecer la naturaleza real de una situación es que tendemos a exagerar por completo nuestra reacción ante esta, y si nos encontramos nerviosos o alterados muy pocas veces podremos encontrar una solución eficaz para poder sortear obstáculos o superar alguna situación o inconveniente.

Si nos concentramos de esta forma entonces seguramente podremos hallar una solución racional a cualquier tipo de problema sin dejarnos llevar por el impulso emocional que nos domina la mayor parte del tiempo.

Ahora que hemos hablado un poco más sobre esto y establecido la forma en la que debemos reaccionar ante los eventos entonces seguramente será mucho más fácil poner en práctica estos consejos, pero para poder aplicar esto de forma satisfactoria es necesario que nos concentremos totalmente en cómo queremos percibir estos momentos, lo que nos lleva al siguiente punto.

Concentración o atención

Para definir otro de los fundamentos o características del estoicismo los filósofos establecieron que la atención es un aspecto importante para ese entonces la denominaban como "prosoche". No solo querían hablar acerca de la atención que debemos poner en cada uno de los sucesos que estamos viviendo u obstáculos que estamos enfrentando, sino que más bien tenemos que orientar dicha concentración hacia nuestro comportamiento y sobre todo hacia nuestros pensamientos.

Esto parece ser la forma más eficaz en la que podemos actuar de forma consciente en todo momento ya que estamos en control de nuestra mente y todos los procesos que está comienza a generar a partir de un momento específico.

Aparte de los beneficios obvios que nos puede otorgar prestar suficiente atención a nuestros pensamientos los estoicos establecieron que existían aproximadamente tres beneficios base que nos permitirían comprender la magnitud de las ventajas ofrecidas por el "prosoche".

- Como primer beneficio al prestar atención a nuestros pensamientos podemos tener como resultado una mejora exponencial en cuanto a las acciones que debemos tomar a partir de ese momento basándonos en nuestro objetivo principal y dirigiendo estas hacia él.

- Al hablar del segundo beneficio propuesto por los estoicos tenemos que la atención nos permite desechar pensamientos que están en el pasado o en el futuro y que nos causarán algún tipo de sufrimiento emocional por lo que nos ahorramos esta mala experiencia y pensamos con mayor claridad lo que necesitamos hacer en este momento.

- Como último beneficio establecido por los estoicos tenemos que al concentrar toda nuestra atención en el momento que estamos viviendo entonces somos capaces de atravesar la adversidad con la cantidad de tolerancia justa para salir del problema enfocándonos únicamente en esto.

Concentrarnos permite que en nuestra mente exista cierta iluminación que nos aleja de aquellos pensamientos que obtenemos a través de los estímulos, pero que debemos desechar debido a que no generan ningún tipo de beneficio y mucho menos nos ayuda a encontrar una solución coherente.

Además de esto al concentrarnos comenzamos a tener otra clase de pensamientos de forma más consciente y dirigidos siempre hacia nuestro objetivo. Al estar enfocados podemos darnos cuenta de todas esas emociones a las que debemos de tener en el momento justo para poder pensar con mayor claridad sin alterarnos.

Gracias a esta característica del estoicismo es que pudieron establecerse muchas herramientas que en la actualidad utilizamos para superar algunos trastornos, por ejemplo, se sabe que las terapias del tipo conductual o cognitivo son predecesoras de esta misma corriente ya que en su estructura principal hacen que los pacientes puedan estar conscientes de sus emociones y además de sus pensamientos en especial aquellos que nacen de forma espontánea como una reacción ante alguna situación.

Y es que una gran cantidad de trastornos pueden comenzar a ser tratados si somos capaces de identificar pensamientos y emociones que tenemos ante situaciones específicas y como un extra tenemos que si nos concentramos en estas para poder controlarlas entonces las podemos dejar a un lado y evitar que nuestro estado de ánimo cambie bajo su efecto.

Además de esto hay que comprender que al controlar los pensamientos es posible que también lo hagamos con nuestras emociones y como resultado nuestro comportamiento será completamente diferente al que teníamos antes de ser conscientes de lo que estamos sintiendo en la actualidad frente a la adversidad.

Control

Cuando hablamos de esta característica propia del estoicismo, no estamos estableciendo que necesitamos controlar absolutamente cualquier situación ya que esto sería prácticamente imposible en especial cuando estamos constantemente interactuando con nuestro entorno y las cosas que suceden en él.

Partiendo de este principio nos damos cuenta de que en la actualidad tenemos una estrecha relación entre nuestra felicidad y eventos que definitivamente están fuera de nuestro control. Esto trae como consecuencia que cada vez más individuos vivan de forma insatisfecha, y ansiosos porque su situación cambie en el futuro.

Es a partir de esto que los estoicos aconsejan que nuestra atención esfuerzo y todo lo que podemos hacer para modificar nuestra situación actual debe estar centrado únicamente en aquellas situaciones que dependen de nuez nuestro actuar, es decir que la controlamos únicamente nosotros sin importar lo que pase en nuestro entorno.

Y en este sentido los estoicos son muy claros ya que establecen que lo único que podemos controlar en nuestras vidas son nuestras acciones y también nuestras percepciones ya que absolutamente todo lo demás está bajo el control de otras fuerzas y otras situaciones que no dependen de nosotros.

Para hacer aún más específicos los estoicos establecen que si deseamos ser felices ya alcanzar ese objetivo que nos hemos propuesto entonces debemos dejar a un lado diversos aspectos como nuestra propiedad reputación y cuerpo ya que, aunque estén cerca de nosotros y formen parte de nuestra vida no podemos controlar lo que pase sobre nosotros.

Esto no quiere decir que no tengamos control absoluto de nuestro cuerpo y le vamos a hacer todo lo que él nos dicte, sino que la decisión de hacer ejercicio comer saludable y llevar una vida lejos de los excesos y vicios que puedan perjudicar nuestra salud en muchas ocasiones es inevitable que tengamos que enfrentarnos a ciertas enfermedades o también a ciertos accidentes fortuitos que pueden perjudicar nuestra integridad física, y por supuesto, estos no dependen de nosotros y mucho menos de las decisiones que tomemos.

Pero aquí también podemos introducir otro concepto ligado con el control que nos invitan los filósofos estoicistas a tener sobre nuestras acciones y es el concentrarnos únicamente en lo que haremos frente a algún inconveniente.

Y cuando hablamos de esta acción no nos referimos a alguna que requiera de mucho tiempo en ser ejecutada, sino que hablamos más de las acciones del presente ya que, aunque trabajemos en un objetivo específico no podemos asegurar que los resultados van a darse tal cual queremos debido a las diversas fuerzas que interactúan en nuestro entorno y que pueden cambiar muchas cosas.

Por ejemplo, si tienes una planificación a futuro y comienzas a dar paso por paso cumpliendo metas diarias no puedes asegurar que en un futuro los resultados serán exactamente como los pensaste al inicio, ya que muchos factores podrían modificar esto y, por supuesto, estos no estarán ligados con tus acciones sino con eventos que están fuera de tu alcance y en consecuencia muy lejos de tu control.

Digamos entonces qué tu atención palabras esfuerzo y acciones son lo único que eres capaz de controlar por completo así que, aunque puedes seguir cuidando de tu cuerpo no debes preocuparte demasiado, ya que varias fuerzas están actuando o mejor dicho interactuando entre sí sin tu consentimiento y podrían cambiar el resultado de muchas cosas.

Para darle una visión más práctica de esto tomemos como ejemplo a una persona que desea modificar su cuerpo a través del ejercicio y la dieta, este no debe preocuparse por lo que diga la balanza dentro de cierto tiempo, sino que debe ocuparse de seguir su rutina de ejercicios de hoy y comer saludable ese mismo día y así todos los días sin presionarse por un periodo antes establecido para lograr su cometido.

Entonces hasta ahora de todos los elementos que hemos hablado se puede decir que la concentración es la que va más ligada al control ya que esta nos permitirá poner la atención necesaria en las actividades que estamos ejecutando ahora sin comenzar a pensar con ansiedad sobre el futuro o sobre lo que lograremos al cumplir dichas metas.

Esto por supuesto reduce nuestro nivel de estrés y además evita que nos causemos algún tipo de daño emocional o que nos sintamos insatisfechos por no alcanzar ciertos resultados en un tiempo que habíamos establecido anteriormente, así también podremos ahorrarnos situaciones de decepción o descontento con nosotros mismos.

Destino

A propósito del control también es necesario hablar sobre el destino ya que este vendría representando todas esas fuerzas que actúan en nuestro entorno y que no podemos controlar bajo ninguna circunstancia.

En este sentido los estoicos han establecido este fundamento bajo el nombre de Amor Fati, lo que en realidad se traduce como amar el destino.

Luego de algunos debates este término se agregó al estoicismo ya que los primeros estoicos no habían dado paso a este.

Se puede observar con claridad y debido a este nombre que no solamente el estoicismo nos invita a comprender que el destino es inevitable, sino que además también nos da un recordatorio de que este podría inclusive llegar a ser apreciado, en pocas palabras que tenemos que abrazar nuestro destino conformarnos y darle el valor que necesita.

Aquí quizás podamos hablar un poco de optimismo o positivismo, ya que comprendemos que ciertas situaciones suceden inevitablemente, pero queremos ver ahora la otra cara de la moneda, es decir, el lado positivo de lo que está sucediendo y encontrar así algo bueno dentro de toda la situación entendiendo que no la podemos cambiar, pero modificando nuestro enfoque para aceptarla de una mejor forma.

También quiere decir que a través de este fundamento podremos ser capaces de ver todas las oportunidades que una adversidad pueda presentarnos.

Para los estoicistas actuales poner como ejemplo al creador de esta filosofía hace que los demás puedan comprender de mejor forma lo que es Amor Fati.

Ya conocemos un poco sobre la historia de Zenón quién por cosas del destino perdió su embarcación y toda su fortuna durante su naufragio, pero al salvar su vida y llegar a Atenas vio la oportunidad de convertirse en una persona distinta y establecer así una filosofía de vida que se mantiene vigente en la actualidad y que ha ayudado a cambiar la vida de millones de personas a lo largo del tiempo.

Inclusive en muchos textos se puede leer una frase suya en la que expresa que pudo llegar a tener un viaje próspero gracias a la adversidad que enfrentó refiriéndose así a su naufragio.

De hecho, hay muchas más analogías para hacer referencia a esto y la más famosa entre los estoicos es la del perro.

Esta habla sobre un perro que estaba atado a una carreta la cual se encontraba en movimiento debido a la fuerza ejercida por otros animales.

En este caso el perro tenía dos opciones claras, la primera era caminar junto a la carreta y así apreciar todo lo que se encontrara en el camino o detenerse y crear un poco de resistencia, sin embargo, lo destacable de esto es que los otros animales superaban en fuerza y en tamaño al perro por lo que era inevitable que este se pusiera también en movimiento sin importar lo que eligiera.

Lo que definitivamente cambiaría entre las opciones sería la forma en la que este perro tomaría el viaje ya que podría convertirse en una experiencia agradable o muy dolorosa

Aplicando esto a la vida diaria entonces podemos decir que cada día enfrentamos una serie de situaciones que nos ofrecen dos opciones, la primera tratar de ver las oportunidades en esta y enfrentarla con valor mientras disfrutamos del camino nuevo que estamos tomando, o por otra parte podríamos vivir entristecidos debido a que este camino no es el que queríamos y no se nos están presentando las oportunidades que en algún momento pensábamos que estarían disponibles.

Control de impulsos

Al contemplar controlar todos nuestros impulsos estamos haciendo referencia entonces a la llamada libertad estoica. Esta tiene una definición diferente a la libertad que conocemos, ya que no se trata absolutamente de hacer todo lo que queramos en cada instante de nuestras vidas ya que esto no entraría dentro del concepto establecido por los filósofos de esta corriente.

Y es que si pensamos en ceder a todos nuestros deseos entonces realmente no estamos viviendo una libertad, sino más bien estamos dejando que sean estos impulsos que nos controlen y nos conviertan en sus esclavos.

Normalmente esto sucede cuando ponemos de lado la razón y le damos el control de nuestra mente y de nuestro cuerpo únicamente a los impulsos que estamos sintiendo.

De hecho, uno de los grandes pensadores de este movimiento del cual hablaremos más adelante estableció que ser esclavo de uno mismo es la peor de las esclavitudes.

Esto quiere decir que para los estoicos al definir la esclavitud a una persona esclavizada se hace referencia únicamente aquellos individuos que dejan que sus pasiones y emociones sean quienes controlen cada aspecto de sus vidas convirtiéndose en seres inestables y, por supuesto, careciendo de cualquier tipo de disciplina o concentración la cual es completamente necesaria si queremos poner en práctica el estoicismo en nuestras vidas.

El ejemplo de esta esclavitud se puede ver claramente en muchos de los individuos que conocemos quienes han establecido una especie de norma para poder disfrutar de una situación, por ejemplo, si alguien está de fiesta y reconoce que únicamente puede divertirse a través de bebidas alcohólicas Entonces está siendo esclavo de este deseo para poder disfrutar de un buen rato.

Seguramente esto ha cambiado por completo tu concepto de libertad así que por si tienes dudas vamos a establecer esta definición creada por los estoicos.

La libertad estoica establece entonces que el individuo sea capaz de guiar todo su accionar bajo la razón dejando lado todos sus impulsos que le obligan a reaccionar de otra forma.

Otra manera de ver cómo perdemos nuestra libertad es dándonos cuenta de que si nos preocupamos demasiado por todas las cosas que no podemos controlar entonces estaremos obligando a nuestras mentes a preocuparse en vano y así perdemos nuestra libertad de pensamiento.

Esto nos viene bien en la actualidad ya que es necesario establecer la filosofía del estoicismo si no queremos seguir siendo esclavos de situaciones ajenas a nuestro control y además seguir siendo esclavos de muchas otras cosas que en realidad representan trivialidades en nuestra vida y no nos traen ningún tipo de beneficio. Minimizar las necesidades de apego hace que definitivamente podamos ser mucho más libres cada día.

Enfoque

Finalmente ha llegado el momento de hablar sobre el último elemento que forma parte de las bases del estoicismo el cual es el enfoque.

Anteriormente hemos dicho que debemos concentrar toda nuestra atención y esfuerzos en cosas que valen la pena y que nos ayudará a alcanzar la felicidad y vivir de mejor forma. Esto hace que nuestro enfoque se dirija únicamente a lo que creemos esencial en nuestras vidas.

Los estoicos establecen que, si en nuestra mente tenemos muy clara nuestras intenciones, entonces nuestros pensamientos y acciones tomarán forma basándose en esto y por supuesto tendremos grandes posibilidades de cumplir con nuestros objetivos.

Pero esto no quiere decir que vas a enfocarte en cosas esenciales pero que no dependen de ti, ya que la filosofía es bastante clara y nos advierte que únicamente debemos poner nuestro foco en las cosas que podemos controlar y que además son importantes para lograr nuestro objetivo desechando todo lo demás porque es completamente innecesario.

Cuando intentamos establecer un objetivo en nuestras vidas quizás podamos armar un diagrama de Venn, donde uniremos las cosas que están bajo nuestro control y también las cosas que importan así que todo lo que esté en el medio entonces podrían considerarse metas válidas.

Ahora que conoces la parte más fundamental del estoicismo podemos adentrarnos más en este mundo comprendiendo las mentes de los grandes exponentes de esta filosofía para tener una idea clara de cómo se ha construido la definición de este a lo largo de los años.

Capítulo II
Los grandes estoicos
Zenón, Epicteto, Séneca, Marco Aurelio

En un principio mencionamos que Zenón de Citio fue el creador de la filosofía estoica, sin embargo, no adentramos más en el tema y tampoco hablamos de otros grandes exponentes quienes dedicaron sus vidas a nutrir esta filosofía para que fuera aplicable a la vida de todos los individuos.

Por esta razón aquí te presentaremos los principales filósofos relacionados al estoicismo y los aportes que hicieron a la esta filosofía, poniéndole su enfoque y basándose en su experiencia y situación en este momento. Hablemos primero sobre la historia de esta importante corriente filosófica.

Historia del estoicismo

Antes mencionamos que no era un comerciante que sufrió un naufragio y este le llevó hasta las costas griegas dónde dedicó su vida al establecimiento de esta filosofía y llegó a ser tan famosa que personas de todos los estratos sociales se encargaron de adaptarla a cada una de sus situaciones.

Básicamente se podría decir que tanto los fundadores como otros representantes de este movimiento estaban completamente seguros de que toda la vida estaba regida por la ley de causa y efecto, por lo que el universo daba ciertas respuestas en función de nuestro pensar y actuar.

Esto los llevó a pensar que definitivamente lo único que podríamos controlar sería nuestras acciones y pensamientos mientras que todo lo demás estaba dispuesto por el universo por lo que tendríamos que dejarnos llevar por cada una de las situaciones que este pusiera frente a nosotros.

Es interesante pensar que además estas personas representantes del estoicismo establecieron que muchas cosas tenían naturaleza neutral inclusive aquellas que comúnmente son consideradas como malas tales como enfermedades y otras cosas similares.

En un principio y gracias a su fundador esta corriente era conocida como zenonismo, pero muy pronto decidieron cambiar este nombre inspirándose en el lugar donde el fundador compartía su conocimiento y además porque querían evitar que las personas tomarán como única referencia de este movimiento a Zenón, ya que los participantes consideraban que ningún individuo era perfecto como para prestar su nombre en una filosofía tan importante.

Fue precisamente en el Ágora de Atenas donde el fundador y sus seguidores tenían constantes reuniones para intercambiar y analizar las ideas que se llevaban a ese lugar.

Entonces ese sitio en el cual se estableció la primera escuela del estoicismo y realmente no había un lugar mejor debido a que para la época era uno de los centros culturales más importantes de toda Grecia.

Se puede decir que se mantuvo así hasta el año 529 d.C cuando un emperador de nombre Justiniano ordenó la clausura de esta escuela.

Fueron las escrituras de Zenón las que sirvieron de pilares fundamentales para basar el desarrollo del estoicismo con el pasar del tiempo sin embargo para la desgracia de muchos estas se perdieron, que el poco conocimiento que se tiene es que Zenón fue el autor de numerosos títulos relacionados con esta interesante filosofía.

De hecho, mucha de la información que se tiene al respecto es debido a que otros autores hacían mención de este en sus obras con algunos fragmentos de sus escritos.

Crisipo era un filósofo que dedicó su vida a establecer los fundamentos de la escuela estoica por lo que cuidó de ella hasta el fin de sus días, y luego de su muerte se puede decir que culminó una primera fase del estoicismo dándole paso a una versión más moderna.

Zenón de Citio

Como bien sabemos fue él quien fundó el estoicismo. Era originario de Chipre, específicamente de Citio, tal como su nombre lo indica.

Se sabe que este fue discípulo de otros filósofos conocidos como Estilpón, Crates y Polemón y que estuvo interesado en primer lugar en formar parte de la escuela del cinismo.

Fueron sus ideas quienes formaron la estructura principal del estoicismo sin embargo todas sus obras se perdieron, pero no la esencia del movimiento, por lo que otros grandes pensadores que vinieron luego de él recuperaron sus ideas principales y las transformaron en lo que conocemos hoy en día.

Filosofía

Al hablar de su filosofía estaremos hablando del propio estoicismo el cual establece que debemos vivir desde la virtud y concentrándonos en nuestro actuar y nuestros pensamientos del presente ya que el destino hará lo que quiera con otros factores que no podemos controlar.

Epicteto

Este filósofo griego nació en Hierápolis, y lo más interesante de su historia es que, aunque fuera un esclavo el estoicismo se convirtió en su filosofía de vida en especial luego de haber estudiado con otro estoico conocido como Musonio Rufo.

Fue a través del decreto del emperador Domiciano que obtuvo su libertad luego de haber sido exiliado en Roma.

Otro hecho interesante de este filósofo es que no dejó ninguna obra escrita, sino que continuar legado de aquellos que sí lo hicieron. Esto quiere decir que su misión era prácticamente predicar y vivir bajo todos los fundamentos establecidos por el estoicismo antiguo.

Filosofía

Aunque su filosofía respetaba cada uno de los aspectos que habían plasmado otros pensadores del estoicismo antes de él, me puede decir que se concentró más que todo en la parte ética de este, poniéndole más atención que a las ramas físicas y lógicas de su estilo de vida.

Séneca el Joven

Su nombre real era Lucio Anneo Séneca, pero se le conocía como Séneca el joven para poder diferenciar así su nombre de su padre quién fue una pieza importante en el gobierno del emperador Nerón.

Este filósofo romano también fue un orador escritor y político que distinguía de los demás debido a su proceder moral.

Se le conoce como una figura romana importante convirtiéndose en un político respetado y además de esto en un senador sumamente influyente.

Se estableció como uno de los máximos exponentes del estoicismo y sus obras se han conservado en la actualidad.

Filosofía

Su filosofía destacaba debido a que sus obras estaban escritas de una forma simple y directa además también de usar un estilo retórico que permitió que muchas más personas vivieran bajo la influencia del estoicismo.

Aunque sus obras y sus palabras permanecen en el tiempo este filósofo tuvo un trágico final debido a una campaña de desprestigio en su contra.

Marco Aurelio

Fue emperador de Roma durante los años 161 y 180. Es considerado uno de los grandes gobernantes, de hecho, se le conoce como uno de los cinco buenos emperadores siendo el último de estos.

Por supuesto, fue considerado uno de los más grandes exponentes del estoicismo. Se caracterizó por tener una mente filosófica, pero además por ser una persona sumamente lógica.

Escribió un libro llamado Meditaciones donde era evidente la influencia del estoicismo en él. Esto hizo que fuera un gobernante justo y muy amado por todo su pueblo.

Filosofía

No solo vivía exactamente bajo los preceptos establecidos para el estoicismo, ponía en práctica y pregonaba un estilo de vida de ánimo imperturbable aceptando absolutamente todo aquello que el destino le impusiera y sacando provecho de cualquier situación sin perjudicar a nadie.

Era conocido sobre todo por aplicar la Ataraxia sobre todas las virtudes enseñadas por el estoicismo y esto se pudo ver reflejado en su gobierno.

Capítulo III
Virtudes Estoicas

También son conocidas como virtudes cardinales y son las fases fundamentales para que una persona pueda vivir el estoicismo a plenitud. Aunque solamente sean cuatro virtudes fundamentales para poder vivir la vida plenitud, quizás ponernos en práctica pueda ser un poco y difícil para aquellos que no comprendan a profundidad el sentido de estas.

Antes de conocer a profundidad la visión del estoicismo respecto a estas cuatro virtudes pongamos un ejemplo de dos personas que bajo las mismas circunstancias vivieron de diferentes formas, ya que uno tomó el camino del estoicismo mientras que el otro no. Y qué mejor ejemplo que uno de los principales representantes de este movimiento comparado con otro gobernante con una posición similar.

Entonces conozcamos la diferencia entre Nerón y Marco Aurelio, de quien hablamos anteriormente.

Iniciamos con una comparación donde tanto Nerón como Marco Aurelio, comenzaron su camino de gobernantes aproximadamente a la misma edad, pero tenemos que decir que esto era lo único que tenían en común ya que sus vidas transcurrieron de forma muy distinta. Aunque ambos eran figuras de poder, se diferenciaron principalmente en que uno de ellos ansiaba por completo convertirse en el máximo gobernante mientras que el otro se sorprendió e inclusive sufrió al enterarse que había sido elegido como el nuevo emperador.

Desde joven Marco Aurelio sabía que quería convertirse en un filósofo y no en un emperador sin embargo su posición de poder no le impidió continuar con su filosofía estoicista e inclusive fue un buen lugar para poner en práctica todas las virtudes aprendidas mostrando así su mejor cara.

Por otra parte, Nerón hizo uso de su poder para el mal comenzando por el asesinato de su hermanastro, por lo que podemos decir que ni siquiera apreciaba su propia familia.

Marco Aurelio quería realmente a su hermano Lucio Vero, tanto así que quiso instalar una figura de coemperador en el imperio romano, un hecho sin precedentes que nació de la confianza que su hermano le tenía.

Nerón dedicó su vida y su poder para disfrutar de las trivialidades de la vida, siendo superficial, frívolo y un esclavo total de los vicios y placeres, lo que va completamente en contra de la libertad estoica que hemos mencionado anteriormente.

En este sentido Marco Aurelio vivió en sintonía con las virtudes cardinales, llegando a convertirse en un aclamado gobernante amado por todo su pueblo, asumiendo su rol de la forma más cuidadosa y responsable, cumpliendo todos sus deberes.

Por supuesto, Marco Aurelio llegó a crear oportunidades para los demás debido a su posición de poder, mientras que Nerón tuvo una actitud completamente egoísta, llegando a forjarse una reputación del gobernante de la época más decadente de ese imperio, representando lo más detestable del ser humano.

Sabiendo esto, conozcamos las virtudes bajo la cuales Marco Aurelio gobernó y vivió.

¿Cuál es el origen de estas virtudes?

Sabemos que son 4 y que permiten a todos vivir a plenitud, pero aún no conocemos por qué fueron las elegidas.

En el inicio cuando se estableció el estoicismo ya se había diseñado la lista que incluye cuatro virtudes para vivir a plenitud y desde la existencia de la misma, ninguno de los representantes de esta filosofía encontró otra virtud para agregar o llegó a quitar alguna de las ya establecidas.

Inclusive el propio Marco Aurelio, del que ya sabemos que era un gran intelectual y pensador llegó a escribir en algún momento que sería un hecho increíble que cualquier persona pudiera encontrar otra virtud que agregar a la filosofía, ya que creía ciegamente que no existen virtudes mejores que esta y podemos decir que no se equivocó ya que ni siquiera en la actualidad se han agregado más a la lista.

Creer en el orden natural de las cosas

Para comprender cómo debemos fluir con todos los acontecimientos o adversidades que enfrentaremos a lo largo de nuestras vidas.

No hay que olvidar que uno de los principios fundamentales establecidos por los estoicistas tiene que ver con la aceptación del destino, y también ver el lado positivo de cada situación.

Otra de las cosas que establece la filosofía es que una situación por si sola no es buena o mala, sino que esto es determinado por nuestra perspectiva, opiniones y juicios.

Definición de bien y mal para el estoicismo

No es muy difícil para un estoico encontrar el significado de bien o mal, esto debido a que saben que este está sujeto únicamente a la actitud que podamos tener frente a ciertos aspectos. Y lo que estos quieren transmitir en verdad acerca de lo que es bueno o malo es que será determinado por si vives en virtud o no.

Y no solamente se trata de tomar estas virtudes e incluirlas en tu mente y en algunas prácticas en tu hogar, sino que todas tus acciones deben estar sujetas a estas cuatro características del estoicismo que se establecieron desde el principio.

Además de esto debes recordar que al deshacerte de tus vicios y situaciones triviales entonces completarás la formación que necesitas para vivir bajo esta filosofía.

Aquí podemos hablar también de la ley de causa y efecto y de que el destino tiene establecido ciertas situaciones para que nos enfrentemos a ellas y podamos ver El lado positivo de estas en todo momento.

Y es que para que no vivan en virtud cualquier adversidad podría ser un estímulo para corromperse por completo y reaccionar de la peor forma mientras que para los estoicistas absolutamente todo puede representar una oportunidad.

Un ejemplo de esto podemos hallarlo en la mitología, dónde un héroe aprovechaba cada una de las ocasiones adversas sin importar su complejidad y adquiría así en el momento perfecto para demostrar su valía e ingenio.

Además de esto sí creemos que hay un destino establecido para todos, entonces ningún tipo de adversidad puede vencernos, ya que nuestra historia está escrita y simplemente debemos fluir con ella.

Incluimos entonces otro concepto muy conocido del estoicismo, y es el de los indiferentes preferidos.

Indiferentes preferidos

Esto hace referencia a que los estoicistas no se dejaban perturbar por ninguna situación o elemento externo. ¿Qué quiere decir?

Que los estoicos eran completamente indiferentes a cualquier situación que se escapara de su control, es decir, lo eran ante lujos, riquezas, dolores, enfermedades y adversidades. Muchas personas llegaron a criticar este concepto cuando lo conocieron, y es que se puede interpretar de una forma errónea, porque no se refieren a que le dan nula importancia a lo mencionado anteriormente. Más bien digamos que, aunque le dieran o no importancia, saben que las cosas sucederán de la forma en la que están establecidas. Y si ellos han determinado que vivir con virtud les hará felices, entonces nada de lo que suceda perturbará la paz que sienten al saber que lo serán en cualquier momento.

Para aclarar aún más este concepto de indiferencia, hagamos referencia a las palabras de uno de los principales exponentes del estoicismo, Séneca. Él afirmó, dirigiéndose a sí mismo y a otros, que ciertamente habría sido mejor haber nacido rico o de elevada estatura. Sin embargo, es precisamente en este contexto donde surgen matices de significado; Séneca explicó que, cuando se llega al punto de interacción con el destino, no hay espacio para una participación activa por parte del estoico. Este último, en cambio, acepta que los eventos se desarrollen como deben. Si la condición no se puede modificar, es inútil que haya una participación activa de nuestra parte.

Séneca creía que aquellos que adoptaban este enfoque de vida eran capaces de superar cualquier circunstancia y llevar una existencia imperturbable. De esta manera, se destaca claramente la distinción entre las cosas que pueden ser objeto de preferencia o indiferencia desde la perspectiva estoica, enfatizando el control sobre las reacciones personales frente a los acontecimientos externos.

Sabiduría

La primera virtud mencionada por los estoicos y de la que hablaremos en este momento será la sabiduría.

Si está fácilmente puede definirse como la forma que tenemos de diferenciar entre lo bueno y lo malo que existe. Hay que recordar que esto es una interpretación y que los estoicos creen que la mayoría de las cosas tienen una naturaleza neutra, entonces la sabiduría vendría a darnos esa capacidad de reconocer lo que en realidad hace bien y lo que hace mal.

En un inicio para muchos puede llegar a ser muy complicado tratar de discernir entre el bien y El mal ya que cuando no se ha practicado el estoicismo no somos capaces de emitir un juicio imparcial debido a que nos dejamos llevar muchas veces por las emociones.

Básicamente lo que queremos decir es que para lograr cultivar la sabiduría en cada una de las decisiones y acciones que tomemos es necesario ser bastantes objetivos irracionales ya que de esta forma podremos desvelar la verdadera naturaleza de cada situación y basar nuestro proceder en esto.

No olvidemos que lo estoicismo siempre busca actuar bajo una figura que evite causarle daño a los demás de forma innecesaria, así que también podemos decir que es necesario pensar en cada acción preguntándonos si a través de esto estamos mejorando nuestras vidas y la de alguien más o si por el contrario estamos dañando a alguien, si causamos daño es mejor que revisemos en nuestra mente cuál es la mejor opción para todos.

La única forma de escoger el camino correcto es pensando en nosotros y en los demás y actuando siempre con virtud tal como establecieron los grandes estoicos desde el principio.

Coraje

Los estoicos sabían bien que este estilo de vida debía estar completamente alejado de la cobardía, en especial porque tenían que enfrentar estas situaciones que estaban fuera de su control. Es por esta razón que se estableció como otra de las virtudes el coraje.

Para este caso usaban la definición de coraje como aquella resistencia que debía tenerse ante el dolor y la incomodidad que provocaban situaciones ajenas producidas por factores externos, en los que no tenemos nada que ver.

En algunos textos estoicistas el coraje también puede llevar el nombre de valor o fortaleza. Y es que la idea de tener valentía debía estar presente todo el tiempo, no solo ante situaciones que consideramos más sencillas sino especialmente cuando hacemos frente a las adversidades.

Y dichas situaciones de las que hablamos en muchas ocasiones suelen ser peligrosas y temibles por lo que en ese momento debemos pensar con claridad para poder actuar adecuadamente, y en muchas ocasiones no solo hablamos de actuar sino de resistir y de tener la fortaleza necesaria hasta que dicha situación llegue a su fin.

No podemos pensar en este valor como una fórmula mágica para dejar de temerle a ciertas situaciones, ya que ese no es el concepto de coraje que los estoicos manejaban, estos demostraron que realmente el coraje es esa fuerza que se necesita para pensar con claridad y tomar acción inclusive en las situaciones más difíciles, haciéndonos fuertes frente al miedo que estamos sintiendo.

Este valor es muy importante ya que, basándonos en los principios estoicos, sabemos que uno de nuestros deberes es fluir con las situaciones que el destino no ponga enfrente por lo que no debemos tener miedo de actuar frente a estas y mucho menos de enfrentar todo lo que está por venir. Es decir, debemos tener la valentía suficiente para atravesar los cambios inesperados en nuestras vidas, así como para correr los riesgos necesarios de los cuales pensamos que obtendremos alguna recompensa al final del camino.

Justicia

La justicia es considerada por los estoicos como uno de los valores más importantes en la vida. De hecho, Marco Aurelio determinó que este valor realmente era considerado como la fuente principal de las cuatro virtudes mencionadas.

No se debe confundir el término justicia con ley, ya que a lo largo de la historia muchos acontecimientos nos han demostrado que existen algunas acciones que son consideradas como legales sin embargo de ninguna manera están ligadas a la justicia.

De hecho, no solo se habla de justicia cuando se toma acción en alguna situación, sino que además hay momentos en los que podría tratarse de una injusticia convertirse tan solo en un espectador de lo que está sucediendo sin reaccionar ante esto o hacer algo.

Inclusive el término justicia para los estoicos está directamente ligado a la moralidad, la cual determina por completo Qué acciones tomar y si estas son capaces de perjudicarte y a los demás o si por el contrario lo presento a ningún inconveniente para los involucrados o allegados.

En pocas palabras, Marco Aurelio nos invita a pensar que si alguna acción o decisión no es buena para un colectivo entonces probablemente tampoco lo será para un individuo por lo que considera que debemos hacernos ciertas preguntas antes de actuar, y todas estas relacionadas con el beneficio que tendremos para todos o si la acción perjudica a alguno de los miembros de alguna comunidad.

No es casualidad entonces que todos los estoicos compartieran el gusto por ayudar a su prójimo ya que sentían que tenían un deber moral con estos y debían evitar a toda costa cualquier injusticia o cualquier acto considerado como inmoral.

Esto invitaba a los estoicos a proyectarse a futuro ya que tenía que pensar que cada acción que tomaron podría traer ciertas consecuencias y a su vez estas podrían lastimar o causar daño a los demás y en caso de que así fuera debían descartar esa opción como solución.

Uno de los ejercicios prácticos que los estoicos nos invitaban a repasar era el de preguntarnos si lo que desearíamos seríamos capaces de ejecutarlo frente a nuestras familias o alguna persona cuya opinión es sumamente importante para nosotros, si la respuesta es negativa entonces es una decisión moralmente cuestionable.

Templanza

Ha llegado el momento de hablar del último de los cuatro valores tan importantes para el estoicismo y este es la templanza. Para poder vivir el estoicismo de verdad es necesario que tomemos en cuenta este último valor en nuestras vidas.

Al hablar de templanza los antiguos estoicos hacen referencia a la capacidad que debemos tener para ponernos un límite en relación a nuestros deseos. Y es que desde el inicio hemos estado hablando sobre el autocontrol y la disciplina especialmente al momento de reaccionar ante ciertos estímulos En diversas situaciones que requieren de un poco de análisis para poder tomar Así las mejores decisiones.

Un ejemplo claro de esto fue mencionado anteriormente cuando hablábamos de Marco Aurelio y Nerón, y sabemos bien que este último vivía como esclavo de sus deseos y del exceso de estos por lo que la templanza vendría a ser un valor contrario a este y el que practicaba el estoico Marco Aurelio.

La templanza también hace referencia a nuestra capacidad de ser cuidadosos con lo que decimos y también con la forma en la que actuamos. Todo en función del beneficio de nuestra alma y de las personas que están a nuestro alrededor.

Entonces a través de este valor podemos ser capaces de controlarnos En diversas situaciones y evitar de esta forma caer y ceder ante ciertos placeres temporales Y en vez de esto pensar en los beneficios que la templanza nos traerá en nuestra vida a largo plazo.

¿Cómo cultivar la resiliencia a través de la virtud?

Aunque la resiliencia no sea un valor determinado como pilar fundamental del estoicismo, se puede decir que encierra ideas importantes de este en su concepto.

Y es que a esta virtud se le conoce como la capacidad de afrontar y aceptar la adversidad en muchas de sus versiones para procesarla de forma correcta y superarla con completa satisfacción y éxito.

Sabiendo esto podemos decir entonces que definitivamente el estoicismo está relacionado con la resiliencia, ya que este establece que debemos enfrentar nuestro destino sin importar qué, pero teniendo siempre una actitud positiva ante todas las situaciones que están frente a nosotros para poder combatirlas con éxito ya que por ser inevitables lo mejor sería enfrentarlas de inmediato y de una forma eficaz.

Al igual que todas las virtudes de las que hemos hablado hasta ahora la resiliencia es una habilidad que se puede adquirir por lo que si consideras que debes incluirla en tu vida entonces debes poner en práctica ciertas cosas que te llevarán a lograr este objetivo.

Basándonos en todas las virtudes que hemos visto hasta ahora podemos decir que cultivar la resiliencia está sujeto a diversos factores que en general se relacionan con ser empáticos, para poder ver las situaciones desde diferentes perspectivas y no solo en la nuestra, también debemos cultivar en nuestros corazones la necesidad de ayudar a otros.

Ser disciplinados también es una forma de preparar el terreno para recibir este valor en nuestras vidas ya que al estar en completo control de nuestra mente seremos capaces de afrontar toda clase de situaciones adversas que puedan perturbar la tranquilidad que debemos tener siempre.

Al decidir vivir a través de la virtud sabemos que bien sea corto o mediano plazo estaremos recibiendo de vuelta prácticamente lo mismo, ya que nuestra conciencia siempre estará libre de culpa y actuará bajo una moral estricta que nos obliga en pensar en el bienestar de todas las personas que están involucradas en los asuntos que estamos afrontando.

La virtud también nos invita a cuidar de nosotros mismos para estar en capacidad de cuidar a los demás y de esta forma podremos actuar con justicia y sin pensar en el beneficio único sino en el colectivo también.

Al comenzar a involucrar estos pensamientos en nuestras vidas crearemos entonces un patrón que nos permitirá convertirnos en personas resilientes capaces de enfrentar el destino, que inevitablemente sucede en todo momento Y que de igual forma tendremos que atravesar por lo que es mejor estar preparado para esto.

Aceptar lo que no podemos cambiar

En términos de aceptación la mayoría de nosotros nos damos cuenta de que no podemos procesar aquello que realmente no nos gusta, es decir, usualmente en situaciones favorables nos sentimos contentos de que éstas hayan sucedido exactamente como queríamos sin embargo cuando surge algún problema, entonces definitivamente no queremos aceptar este tipo de situaciones y nos negamos a continuar a pesar de ellas.

Esto representa un problema para la vida dentro de las virtudes estoicistas debido a que dentro de sus fundamentos establece que es importante aceptar el destino tal cual está sucediendo, y en caso de que tengamos que tomar acción siempre será desde la razón y la conciencia.

Y es que nuestros pensamientos y expectativas cuando vivimos lejos del estoicismo suelen ser bastante irreales y el mal momento llega justo cuando estas no se cumplen ya que nos condenan por completo a la frustración y a la infelicidad.

Capítulo IV
Amor Fati

El sufrimiento llega inevitablemente cuando las cosas no van exactamente como queremos, y esta es la razón por la que siempre los estoicistas hacen hincapié que para vivir una vida plena es necesario aceptar y afrontar todas las situaciones que se nos presenten a lo largo de la vida.

Esta es una manera muy clara de decir que debemos aceptar absolutamente todo, en especial aquello que no podemos controlar ya que no está en nuestro poder.

También está relacionado con el concepto de no pensar en los resultados a largo plazo ya que cuando establecemos una meta y el camino que tomamos no es el mismo que diseñamos en nuestro plan inicial, entonces llegamos a pensar que no cumpliremos el objetivo de forma que inevitablemente creemos que nunca llegaremos a alcanzar esa felicidad que tanto anhelamos.

Y es que muchas veces nos atamos el concepto de que, si no alcanzamos ciertas metas, por lo tanto, no podremos estar felices por lo que siempre sujetamos la plenitud al cumplimiento de ciertos objetivos que casi nunca sucede por lo que vivimos insatisfechos e infelices.

Esto no quiere decir que le estoicismo nos cuida de ser vulnerables ante situaciones desfavorables que no podemos controlar, sino que nos enseña a cómo sobrellevar estas sin tener que sacrificar nuestra tranquilidad.

De esta forma comenzaremos a vivir conforme a los deseos del destino sin sujetar nuestra felicidad a eventos incontrolables sino cultivándola desde nuestro interior y logrando así sentir esta sensación agradable cada día en nuestras vidas, experimentando la verdadera plenitud en el presente y no pensando en ella como una meta de un futuro muy lejano, que en ocasiones ni siquiera llega a cumplirse.

Anteriormente conocimos algunas de las virtudes y conceptos fundamentales del estoicismo y nos dimos cuenta de que estas forman la base de toda la filosofía, por lo que lo realmente importante aquí es tener clara las definiciones de cada elemento.

El estoicismo siempre nos está hablando de aceptar las situaciones que están fuera de nuestro alcance y que no podemos cambiar bajo ninguna circunstancia, es por esto que los fundadores de esta filosofía han mencionado como uno de sus elementos principales el Amor Fati, lo que se traduce como amar al destino y que va mucho más allá de solo aceptar este.

Conozcamos más a profundidad este elemento tan importante para los estoicistas, los cuales recomiendan que lo tomemos en cuenta en la cotidianidad de nuestros días para vivir así de una forma más serena y feliz por el resto de nuestra vida.

¿Qué es Amor Fati?

Para el resto de los filósofos y demás expertos, los estoicos son bien conocidos por ser deterministas lo que quiere decir que han establecido que el futuro está escrito de principio a fin y que todas las situaciones que atravesamos estaban destinadas a presentarse frente a nosotros y que inevitablemente y sin importar la actitud que tomemos ante estas seguirán sucediendo como el destino lo ha pautado.

Para ser mucho más claros, establecen que nadie puede escapar del destino por lo que no tiene sentido oponerse a este ni siquiera con todas tus fuerzas. Entonces si esta es la realidad establecida para todos los individuos, no tienen por qué oponerse ante los hechos irreversibles que sucederán en sus vidas.

En este sentido uno de los representantes importante del estoicismo nos regala un pensamiento para que podamos comprender mejor de lo que se trata el Amor Fati: " No busques que los acontecimientos sucedan como tú deseas, deja que sucedan como suceden y todo saldrá bien" Y estas sabias palabras fueron pronunciadas por Epicteto.

Pero realmente aplicar esta filosofía de vida en este sentido es muy difícil, en especial para aquellos que enfrentan las adversidades más atroces y definitivas en la vida.

Sin embargo, al ser dichas situaciones algo inevitable entonces sentarse a sufrir por estas y no aceptarlas solo hará que crezca el sentimiento de dolor e incertidumbre en nuestros corazones.

Para lograr amar el destino de forma práctica los estoicos nos invitan a cambiar nuestras dificultades por una oportunidad.

¿Cómo afrontar circunstancias fuera de nuestro control?

Cuando estamos enfrentando cualquier inconveniente, nos damos cuenta de que nuestra mente y pensamientos están en una versión natural de nosotros mismos y es esta característica pura de nuestro sentir que no permite actuar de una forma auténtica frente a estas.

Lo que queremos decir con esto es que son las adversidades la mayor de las pruebas si no es que una de las pocas que existen y que nos dan la oportunidad de demostrar nuestra valía.

Y es que si somos objetivos y comenzamos a pensar de forma neutra en los acontecimientos que tengamos que enfrentar realmente todas nuestras opciones se reducen a dos.

La primera es pensar que ningún suceso a la vida es justo y que no entendemos por qué somos nosotros los que tenemos que afrontar esto.

Y la segunda opción es tomar el control de nuestras emociones y pensamientos y determinar que lo que estamos enfrentando más que un inconveniente es un reto, y que debemos poner todo de nosotros para tomar las mejores decisiones y así atravesar este obstáculo de forma exitosa.

Como podemos ver aquí influyen un par de elementos importantes. No olvidemos que para los estoicos también existía otro concepto relacionado al Amor Fati, y este es la dicotomía de control.

Básicamente entendían que el control estaba regido por dos fuerzas inquebrantables, la primera relacionada con el destino y con todo aquello que no somos capaces de controlar, ni siquiera porque tengamos la voluntad de hacerlo y la segunda relacionada con lo que en realidad sí podemos controlar y demostramos a través de nuestro accionar.

Esto nos invita a comprender que no debemos esperar a que todo suceda exactamente como queremos desde un principio, sino que debemos dejar que las cosas sean justamente como deberían y manejar la situación basándonos en esto.

Nuevamente tenemos un ejemplo presente en el que a partir de una misma situación se pueden tomar caminos completamente diferentes y los resultados por supuesto serán de esta forma.

La primera situación hablamos de reacciones negativas que se han formado a partir de la percepción de las personas que están enfrentando este reto, mientras que en el segundo caso estamos hablando de una visión más optimista que impulsa al individuo a mostrar la mejor versión de él y tratar de sacar provecho en todo tipo de situación dejando a un lado cualquier juicio que le impida avanzar.

Para lograr esto de forma exitosa hay que tomar en cuenta que para los estoicos realmente no existe una situación con connotación buena o mala, sino que es la visión de cada persona que logra darle una etiqueta a todos estos asuntos.

Cuando tenemos frente a nosotros cualquier tipo de suceso no podemos evitar pensar en que existe una gama de opciones para reaccionar ante este, pero es justamente el pensar esto que no somos capaces de enfrentar de forma exitosa el momento.

Se puede decir que la mayoría de las opciones que vienen primeramente a tu mente están relacionadas con quejarte porque las cosas no han salido como tú quieres, pero también en ese abanico de alternativas existe una que te invita a tomar el control de la situación y aceptar todo lo que venga, al destino inclusive si este se presenta de forma amarga ante nosotros.

Memento mori

Esta frase también es representativa del estoicismo ya que nos recuerda nuestra condición de mortalidad y en especial hace que reconozcamos que nuestro destino está escrito, y por consiguiente nuestra muerte tiene fecha y hora y esta no puede cambiarse. Lo que queremos decir con esto es que cada individuo tiene establecido el fin de su destino el cual es morir.

Aunque esto parezca un poco sorpresivo no hay que olvidar que le estoicismo y bastante claro y nos invita a ver todo desde la verdad y la neutralidad que los asuntos necesitan para poder ser enfrentados.

La frase se popularizó entre los estoicistas llegando a convertirse en una especie de recordatorio que se usaba para que todos se dieran cuenta de que la mortalidad estaba allí y que no podíamos determinar exactamente cuándo terminarían nuestras vidas.

Gracias a esta frase constantemente podemos recordar que este es el ciclo natural de las cosas y por más que intentemos comprender o que en algún momento tengamos miedo debemos enfrentar esa situación con coraje ya que es un hecho por el que todos los humanos tenemos que pasar.

Recopilando un poco todo lo que hablamos anteriormente, podemos decir que amar al estilo es la mejor forma de vivir nuestras vidas ya que siempre habrá algún evento que no podremos controlar y realmente manejarlo con una actitud optimista para que podamos atravesar las dificultades con mayor facilidad sin quedarnos estancados en el lamento y la amargura de no poder cambiar algo.

Si logramos crecer ante la adversidad y encontrar en nosotros cada una de esas virtudes que le estoicismo nos invita a poner en práctica, entonces el destino no solo nos está permitiendo vivir una situación sino también aprender de esta y crear la mejor versión de nosotros Por lo que de esta forma también hay que amarlo por este gran aporte que está creando en nuestro espíritu.

Disciplina mental en el estoicismo

A pesar de que no está descrita como una de las virtudes señaladas por el estoicismo antiguo ni el moderno, es bastante obvio que la disciplina formaba parte fundamental del carácter de todos los estoicistas en especial de aquellos representantes máximos de esta filosofía.

Y es que ellos tomaron en cuenta que, en muchas ocasiones, aunque las personas tengan la voluntad de realizar un cambio importante en sus vidas terminan por volverse incapaces de cumplir lo que han prometido o dejar a un lado aquello que les hace mal.

Los estoicistas tenían en cuenta esto por lo que dentro de sus textos establecieron ciertos consejos fundamentales para que las personas que tuvieran problemas para disciplinar su mente pudieran contar con herramientas como las que presentaremos a continuación para poder convertir esta filosofía en su nuevo estilo de vida.

Estos elementos tan importantes para aprender a disciplinar la mente están contenidos en los textos más antiguos escritos por los máximos representantes de esta corriente filosófica.

Entonces conoceremos más a profundidad algunos de los textos más emblemáticos del estoicismo tal como lo es "Cartas a Lucilio" dónde podemos observar el intercambio de correspondencia que tuvo Séneca con su amigo, y básicamente se podría decir que en estos escritos están reunidos los tres últimos años de vida del filósofo conocido también como Séneca el joven.

Otro de los escritos donde se evidencia el conocimiento necesario para aplicar la disciplina de nuestras vidas es en el famoso libro del emperador Marco Aurelio, Meditaciones. Aunque en un principio este texto no tenía la intención de ser informativo para todo el mundo sino una especie de paso a paso para que su autor pudiera mejorar su vida se convirtió en un referente importante de la filosofía estoica recopilando lecciones importantes de Cómo realmente un estoico debe vivir su vida en completa virtud.

Estos fácilmente pueden ser considerados como algunos de los textos más importantes para esta corriente filosófica, donde está contenido el secreto para lograr disciplinar las mentes y vivir de mejor forma el estoicismo sin importar si eres principiante o experto en esto.

Razón de ser

Para lograr una mente disciplinada es necesario establecer en nuestras vidas un propósito y es que los estoicistas han determinado que este es el principio de la vida bajo esta filosofía y además el primer paso para establecer una disciplina mental.

Cuando estableces un objetivo en tu vida es necesario que expliques en tu mente el por qué quieres seguir este camino y es esta razón la que debería motivarte a diario para continuar con tus planes ya que no debes olvidar el motivo que te llevó a realizar estos cambios en tu vida.

Este puede ser un concepto mucho más profundo si lo piensas ya que un propósito no solo es algo que puedes establecer de forma consciente sino también un aspecto que está escrito en cada uno de nosotros es decir que ya tenemos un destino y una razón de ser. La mejor forma de establecer un propósito de forma acertada es la de seguir nuestra propia naturaleza de esta forma podrás comprender la razón por la cual fuiste creado y actuar basándote en esto.

Para muchas personas esto puede ser difícil de entender ya que usualmente nos encontramos a menudo confundidos, sin tener tiempo de siquiera pensar en que realmente nos han creado con un objetivo específico a cumplir.

Si has llegado a pensar que no existe alguna meta para ti debes tomar en cuenta de que cada uno de los individuos sobre la tierra tiene que cumplir un propósito, por lo que al tener la seguridad de que este existe entonces podrás mantenerte enfocado y pleno trabajando para que sea cual sea el acontecimiento que vivirás puedas enfrentarlo con plenitud y tranquilidad.

Hallar nuestro propósito puede llegar a hacer una tarea difícil pero la mejor forma de obtener esta información no es que dándote sentado a esperar a que algún secreto se despliegue ante tus ojos, sino que lo mejor es tomar acción para descubrir de forma práctica Cuál es nuestro propósito.

La situación entonces nos obligará a salir de nuestra zona de confort, invitándonos a probar una serie de experiencias nuevas que en algún momento tendrá un significado de valor que nos permitirá ver la situación de distintos puntos de vista siendo más consciente de las decisiones tomadas.

Tomar acción

Hay un aspecto en el que los estoicos se diferenciaban de muchos filósofos y es que estos eran considerados como hombres de acción es decir tomaban partido en la mayoría de las situaciones por enfrentar, pero no lo hacían bajo una reacción desmedida, sino que en su lugar se encargaban de analizar la situación bajo una mirada objetiva siendo personas específicas que trabajaban para una meta en concreto.

Esto demostraba que eran hombres de disciplina ya que una vez que se establecía un objetivo por el cual había que trabajar entonces llegaba el momento de ponerlo en acción ya que no podía quedar solamente en una meta que no estuviera cerca de cumplirse.

Como vemos, está relacionado con el punto anterior ya que cuando una persona tiene un propósito establecido entonces todas sus acciones se orientarán de forma coherente y racional para lograr que este se cumpla a cabalidad.

Pero esta situación no se daba repentinamente, sino que los estoicos se tomaban su tiempo para establecer una solución intercambiando criterios para poder lograr así cumplir con este objetivo de la forma más eficaz.

Si dedicas cada día a dar un paso más hacia ese objetivo entonces te darás cuenta de que estás cumpliendo lo que en un principio, es decir, estás haciendo exactamente lo que dijiste qué harías, trabajando y creciendo en función de la meta que te has propuesto.

Y es que las acciones deben estar relacionadas con el objetivo, por ejemplo, si quieres ser un estudiante sobresaliente entonces a diario tendrás que estudiar más que el promedio, si por otra parte tu deseo es convertirte en un chef profesional, es evidente que cada día tendrás que hacer uso de la cocina para preparar ciertos platillos y mejorar así tus habilidades.

Para dar un paso más hacia la disciplina entonces estas acciones relacionadas con tu propósito deben convertirse prácticamente en un hábito, lo que significa que las harás sin importar las circunstancias externas solo sí perfeccionarás tus capacidades y lograrás hacer las cosas inclusive cuando no te sientas por completo motivado.

Esto simplemente señalará que cada día has logrado progresar y lo haces de forma constante y a tu propio ritmo viviendo por completo el presente sin preocuparte por lo que tienes que hacer en una semana o más tiempo.

Ser fuerte

No puede existir la disciplina sin antes establecer lo importante de la fortaleza para lograr los objetivos. En este caso nos hacemos referencia a fortaleza física, sino a la fortaleza mental ya que inevitablemente se presentará momentos en los que por un instante lleguemos a considerar rendirnos frente a diversas situaciones problemas e inconvenientes.

Justo cuando las cosas no están saliendo como queremos necesitamos de esa fortaleza interior que nos impulse a continuar con lo que estamos haciendo sin perder de vista nuestro objetivo diario.

Hay dos aspectos importantes que podrían arrebatarnos nuestra fortaleza interior y están relacionados con buscar la satisfacción inmediata y también evitar todo aquello que nos produce incomodidad.

En este último caso podríamos considerar que prácticamente nos escondemos de las situaciones que nos salen como esperábamos y nos obsesionamos con las cosas que no sucedieron como queríamos. Indudablemente esto puede llegar a hacer que perdamos nuestra fortaleza interior al desconcentrarnos y perder el enfoque.

Por suerte para nosotros, los grandes estoicos previeron esta situación y dejaron consejos prácticos para no perder la fortaleza en ningún momento. Quizás parezca un poco descabellado, pero han establecido que lo mejor es exponerse voluntariamente a todo tipo de situación incómoda para que esto se vuelva cotidiano y así podamos lidiar con estos eventos con una mayor naturalidad cada vez que se presenten ante nosotros.

Y es que aseguran que al momento en el que oímos de las cosas incómodas y nos escondemos de ellas, nos convertimos en personas más frágiles cuyas características mediocres comienzan a florecer en nuestras mentes y en nuestros corazones.

A través de la fortaleza seremos capaces de enfrentar con éxito cualquier situación desconocida o desfavorable que exista en nuestras vidas.

Esta es una forma de mantener un constante crecimiento personal y conocer mejor nuestras características principales que nos hacen fuertes ante las adversidades. De esta forma estaremos desarrollando y acrecentando el coraje con el que nos enfrentamos a todo.

Los estoicistas también nos invitan a alejarnos de todo aquello que nos produzca placer inmediato y fugaz ya que lo único que produce este momento es incomodidad y una pérdida de tiempo y esfuerzo al poner toda tu atención en un asunto trivial.

Pongamos como ejemplo el objetivo de alguien de perder peso durante este año. Si tu propósito se ha establecido con claridad y realmente tienes una fortaleza interna admirable entonces es seguro que no estarás pensando en comer algo poco saludable que te haría retroceder en tu progreso.

Para hacerlo mucho más claro, si sabes que has elegido una dieta entonces no consumas esas calorías innecesarias que no te ayudan Y es que, aunque momentáneamente pueda sentirte bien con esto hará que todo tu esfuerzo valga mucho menos.

Este es un paso importante para crear una mente disciplinada ya que cuando somos capaces de rechazar todo ese placer momentáneo que las situaciones nos ofrecen tenemos un control absoluto sobre nuestra mente y nuestros pensamientos.

Ser reflexivos

Este el último de los principios que se establecen para poder crear una mente disciplinada. Cuando hablamos de reflexionar no solo nos referimos a analizar las situaciones que tuvieron lugar en el pasado.

Y es que, aunque el ejercicio práctico nos invite a pensar en todo lo que hicimos durante el día y las acciones que tomamos frente a algunos eventos también es importante autoevaluarse cada día antes de tomar acción en algún momento.

Digamos que esta es la forma más práctica de que puedas hallar tus fortalezas, pero sobre todo tus puntos débiles para poder así realizar una corrección rápida y temprana de estos y que no te afecten en el futuro.

Durante la reflexión podrías comenzar a preguntarte sobre los momentos en los que tu disciplina fue puesto a prueba en el día de hoy, así será mucho más consciente de esto y cada día será más tolerable hasta que inconscientemente puedas actuar de la misma forma correcta sin siquiera estar completamente enfocado en algo.

Lo grande estoicos recomiendo para este ejercicio que establezcas algunas preguntas puntuales y cada día te hagas las mismas preguntas, lo recomendable es que sea la misma hora y en el mismo lugar creando así tu propio espacio reflexivo.

Es de esta forma que la oportunidad de corregirnos nos llega sin importar ningún juicio o suceso que hayamos presenciado. Es más, ni siquiera tienes que compartir esta información con otras personas, sino que puedes preguntarte lo de forma interna y responderlo en tu mente.

Sin embargo, para otras personas es mucho más práctico el escribir y responder todas estas interrogantes para llevar así una especie de registro de su progreso.

Recordemos nuevamente que es importante vivir el presente por lo que si tuviste un día malo esto no debe condicionar el resto del tiempo. Es decir, que no debes pensar que se trata de una mala racha ya que realmente solo fue un mal día y mañana tienes la oportunidad de afrontar de forma diferente lo que te toque vivir.

Capítulo V
La muerte y el momento presente

Hemos hablado un poco sobre Memento Mori y lo que básicamente significa, pero ¿Sabías que está fue una filosofía señalada por los estoicos para superar el miedo a la muerte?

Podemos decir que este concepto se ha creado gracias a que los estoicistas nos enseñan a validar la importancia de nuestro presente y de la vida, mostrándonos que existe una verdad absoluta alrededor de esta y es que tiene fecha de caducidad así que inevitablemente moriremos.

El " recuerda que vas a morir" o Memento Mori es un constante recordatorio que nos demuestra que la vida llega a su fin en algún momento, ya que no pensar en este hecho nos impide vivir a plenitud lo que se convierte en un problema para afrontar de forma natural la propia existencia.

En muchas ocasiones la gente llega a pensar qué cuenta con gran cantidad de tiempo para vivir y experimentar momentos e inclusive algunos se obsesionan por perseguir la inmortalidad cosa que realmente no existe.

Para esta ocasión, Zenón nos ha regalado una de sus frases, la cual nos hace pensar que " Ningún mal es honorable, pero la muerte es honorable; por lo tanto, la muerte no es mala".

Afrontar la propia mortalidad con serenidad

Antes de establecerse esta filosofía para completar el concepto del estoicismo sobre la muerte esta frase fue utilizada en especial durante conflictos bélicos para darles valor a los soldados recordándoles que la vida llegará a su fin en cualquier momento.

De esta forma el Memento Mori lo que hace es advertirle a cada individuo que la vida puede ser bastante fugaz y es así como constantemente deben pensar que la muerte se encuentra justo en el momento presente.

Entonces tendríamos que pensar en ella como un elemento que se encuentra fuera de nuestro control y por lo tanto no debemos preocuparnos demasiado por ella.

Como beneficio extra, al pensar en la muerte de esta forma podemos apreciar mucho más la vida ya que nos damos cuenta que esta de fugas y hay que aprovechar todo momento para vivir con virtud y tomar nuestras propias decisiones teniendo presente nuestro beneficio y el de los demás.

Más que asustarnos respecto a la muerte esta filosofía nos invita a aprovechar al máximo la vida y tratar de vivirla de manera correcta.

Todo este asunto es una clara invitación de que debemos pensar en la muerte como un hecho inevitable, pero en el buen sentido ya que al aprovechar realmente nuestra existencia podemos estar satisfechos en cuerpo y mente y así continuar nuestro camino según lo dicta el destino.

Uno de los estados de ánimo que también debemos tener presentes al momento de pensar en la muerte sin duda alguna es la serenidad. Esto se puede ganar a través de la aceptación de los hechos y de que no podemos cambiar nada en absoluto, así que tal como ha establecido el estoicismo desde el principio no debemos preocuparnos por las cosas que no somos capaces de cambiar ya que de igual forma sucederán.

Así como aplica para todos los asuntos de la existencia entonces también lo hace para la muerte, la cual debemos aceptar como un hecho completamente ligado a la vida y que solo representa el fin de un ciclo el cual hemos vivido con virtud y de manera satisfactoria.

Vivir el momento presente con conciencia

No existe un asunto que nos haga valorar más la existencia que saber que en cualquier momento esta pueda acabarse. Lo que quiero enseñarlo estoicos con esto es lo importante de vivir con la mente y las acciones ligadas al presente ya que como sabemos el futuro y sus inclemencias son por completo desconocidos, y aunque la mayor parte de la vida transcurre como consecuencia de nuestras decisiones no se puede predecir algo como el fin de la vida.

Aquí lo estoicismo nos invita a ser un poco más conscientes de que contamos únicamente con el presente para cambiar nuestras vidas tratar de mejorarlas y también tratar de ayudar a los demás.

Al vivir con conciencia no solo podemos disfrutar a plenitud de nuestra existencia, sino que además seremos capaces de disfrutar con total libertad estoica cada uno de nuestros momentos de la vida ya que somos plenamente conscientes que quizás no se repitan por lo que hay que aprovecharlos al máximo.

Siendo consciente de que cada minuto es importante estaremos seguros de no desperdiciar ningún momento al ocupar nuestra mente con asuntos triviales que no trascienden a nuestra conciencia.

Aceptar los hechos tal y como son nos invita gozar del privilegio de la vida sin tener que desperdiciar nuestro esfuerzo en pensar que podemos cambiar un asunto tan importante como este.

Vivir con conciencia es sumamente satisfactorio tal como vivir guiándonos por todas las virtudes antes mencionadas.

No existe una mejor sensación que saber cómo aprovechar todo tu tiempo sin desperdiciar momentos importantes en asuntos que no lo merecen.

Capítulo VI
La práctica del estoicismo en la vida cotidiana

En teoría el estoicismo parece muy sencillo de aplicar en nuestras vidas ya que tiene fundamentos bastante delimitados Y constantes a lo largo de toda su filosofía.

Sin embargo, hay personas que tienen la capacidad de aplicar esta filosofía en su vida a través de ejercicios prácticos que le permitan comprender y vivir de mejor forma tal como lo indica el estoicismo. En este caso para todas las personas interesadas en aplicar esta forma de vida desde este momento existen ciertos consejos que pueden ayudarles a acercarse un poco más a la vida estoica y a los valores de esta.

Consejos prácticos para aplicar enseñanzas estoicas

Para que el estoicismo se convierta en una filosofía más fácil de aplicar a nuestras vidas debemos seguir estos 10 simples consejos, fáciles de integrar en nuestra rutina y que sin darnos cuenta representarán ese cambio que necesitamos.

Considerar el peor escenario

Con este consejo no estamos animando a que siempre estés pensando en que te pasará lo peor si no tratando de que la mente esté preparada para cualquier tipo de situación que pueda enfrentar así lo hará de forma más lógica y rápida.

Saber que todo llega a su fin

Cómo nos dimos cuenta anteriormente, el estar conscientes de que somos seres mortales nos invita a vivir de una forma más libre tomando las mejores decisiones y permitiéndonos vivir menos preocupados por el fin de nuestras vidas ya que es algo que no podemos controlar o evitar.

Tomar en cuenta sólo lo que podemos controlar

Esto es algo que en todo momento debemos tener presente, ya que solemos preocuparnos por asuntos que no podemos controlar o evitar, así que cuando piensas que solamente puedes controlar lo que hay en tu interior la vida será mucho más fácil.

Meditar

Esta es una actividad beneficiosa para tu vida ya que nos invita a reflexionar sobre esta, logrando así calmar la mente de pensamientos triviales y enfocarnos solo en lo importante.

Evita que los placeres te controlen

Dentro de la lista de cosas que sí importan en el estoicismo los placeres y deseos no están presentes debido a que estos son momentáneos y pueden controlarlos de forma negativa así que piensa en que no debes ser esclavo de estos.

Ser fiel a los valores estoicos

Esto aplica especialmente cuando nos relacionamos con personas de nuestro entorno o de otro diferente. Al estar en contacto con los demás, es probable que nuestra tranquilidad se vea afectada, y como no queremos perderla, lo mejor es actuar y hablar considerando en todo momento los valores estoicos.

Escoger nuestra compañía

Al contrario de lo que muchos puedan pensar, el estoicismo nos lleva a considerar en todo momento tener compañía, y es que sabemos que somos seres sociales, por lo que no podemos ir en contra de nuestra naturaleza. Pero esta compañía debe representar los mismos valores que queremos en nuestra vida, así no tendremos oportunidad de perder la calma que tanto ansiamos.

Evitar reacciones ante ataques

Mantener la calma puede ser difícil si no sabemos reaccionar ante los ataques de los demás. En este sentido el estoicismo nos invita a ser muy objetivos con esto y analizar qué hay de cierto en las palabras del otro, tomando únicamente la verdad y analizándola de forma indolente.

No obsesionarse con lo material

Inclusive si has nacido con cierta posición privilegiada, debes saber que los estoicos no invierten su tiempo persiguiendo la riqueza, ni el reconocimiento por esta. Por supuesto, que nadie está en contra de que la poseas, solo que no se vuelva una obsesión para ti lograrla.

Ver lo realmente valioso

Muchas personas están atadas a ciertos comportamientos, que los llevan a ver de forma errada el valor de todas las cosas. Es como cuando hablábamos de la felicidad vista como un objetivo a largo plazo, lo que nos lleva a tomar caminos errados que causan insatisfacción. Al darnos cuenta de que lo valioso está en nuestro control, viviremos de forma plena.

Ejercicios espirituales estoicos

Este tipo de ejercicios hace referencia a aquellas actividades y prácticas que los grandes filósofos estoicos incorporaron a sus rutinas, para poder aplicar de forma satisfactoria dicha filosofía y que esta se integrara de forma natural a sus vidas.

Esta serie de ejercicios te ayudará a centrarte y establecer un camino correcto hacia la meta de aplicar el estoicismo, considerando en todo momento este pensamiento para que muy pronto se conviertan en acciones que inclusive puedes hacer de forma inconsciente o también dándoles la figura de un hábito en tu vida.

Podemos establecer en este caso tres categorías que engloban la mayoría de los ejercicios practicados por los grandes estoicistas.

Atención

En esta primera categoría se incluye la plena conciencia de nuestro estado de ánimo, lo que nos invita a estar siempre alertas y vigilantes de forma constante este. El propósito del ejercicio es prepararse con anticipación ante cualquier acontecimiento que surja de forma inesperada en nuestras vidas, y al estar plenamente conscientes de estos podemos reacción basándonos en las virtudes antes mencionadas.

Dentro de esta categoría también se incluye la meditación, que no es más que esta reflexión de nosotros mismos que nos invita a conocernos de la mejor forma y establecer así nuestras debilidades y fortalezas, las cuales que nos permitirán actuar de la mejor forma posible. La reflexión también nos invita a anticipar y ver los acontecimientos que inevitablemente se presentarán en nuestra vida.

Todo esto no quiere nos lleva a otro punto en el cual debemos destacar el protagonismo de la memorización, ya que al establecer ciertas situaciones que inevitablemente debemos vivir, antes debemos memorizar los procesos mediante los cuales enfrentaremos las mismas, evitando así encontrarnos desprevenidos frente a estas y tomando con más tranquilidad las decisiones necesarias para superar este momento.

No es un secreto para nadie que este tipo de ejercicios, así como su incorporación en la vida cotidiana requiere de mucha práctica, pero una vez que se convierte en hábito podemos hacerlo inclusive de forma inesperada.

El estudio

En esta categoría se pueden se puede incluir todos aquellos ejercicios de carácter intelectual que te ayudarán a conocer a mayor profundidad la práctica. En este caso podemos ver entonces la presencia de la lectura, así como el estudio constante de esta filosofía y por supuesto, el examen de todo esto.

Cuando incluimos la lectura de la vida estoicista en nuestros planes, estamos alimentando todos esos fundamentos de los cuales queremos aprender.

Esta es sin duda la mejor forma de nutrir nuestras mentes y mucho conocimiento respecto a la filosofía en la que queremos vivir a partir de este momento.

Pero no todo debe quedarse en la teoría, ya que es necesario poner en práctica todo lo aprendido y es en este punto que se hace referencia al examen profundo donde nuestros conocimientos adquieren un mayor valor porque podemos aplicarlos en nuestra vida cotidiana.

También hay que señalar que leer no bastará, porque es necesario absorber estos conocimientos y comprenderlo de una mejor forma para poder aplicarlos con seguridad a lo largo de nuestras vidas.

Inclusive con la información obtenida como resultado del estudio y las lecturas, podemos ser capaces de modificar nuestro carácter y estado de ánimo para que vaya acorde con los principios que queremos que rijan nuestras vidas.

Dominio del ser

El dominio del ser es la prueba máxima de que realmente hemos comprendido todos los fundamentos del estoicismo y además que hemos creado un hábito al respecto llegando a convertir esta filosofía de vida en nuestra. Esta es la parte más difícil, ya que tener un completo control sobre nosotros mismos puede llegar a ser una actividad complicada para la mayoría de las personas.

Pero aquí cuenta realmente la práctica ya que a medida que hacemos los diversos ejercicios establecidos para convertirnos al estoicismo, entonces tener control sobre nosotros mismos se vuelve una actividad más sencilla y llevadera.

No hay que olvidar que al exponerse voluntariamente a ciertas situaciones que requieran de autocontrol nos permitirá ejercitarnos en esta práctica y alcanzar el punto en el que queremos estar.

Para este momento dejaremos de sufrir por situaciones alejadas de nuestro control y nos ocuparemos en cultivar nuestro espíritu para actuar en función de las virtudes estoicistas y dejar a un lado las preocupaciones sin fundamento.

La virtud estoica y el camino a la resiliencia

Las virtudes estoicas nos han enseñado a convertirnos en la mejor versión de nosotros, demostrando que solo hay que darles importancia a ciertos asuntos, ya que es la forma más segura de vivir con tranquilidad y hacer el bien.

Esta idea de que nuestro destino ya está determinado y que además no podemos cambiarlo por más que lo intentemos, nos invita a aceptar las cosas tal y como están.

Esto nos invita a reflexionar sobre las cosas que sucederán inevitablemente y nuestra preocupación respecto a estas. ¿Por qué seguimos pensando en estos asuntos? Los estoicos nos invitan a pensar que esto es por completo una pérdida de tiempo, ya que no hay forma de hacer un cambio drástico en nuestro destino porque ya está escrito desde el inicio de nuestras vidas.

Esto nos lleva a pensar que la forma más inteligente de enfrentar este es a través de la aceptación del mismo, dejando de preocuparnos por las cosas que son inevitables y dándole importancia únicamente a aquellas en las que sí podemos establecer un cambio.

Así es como podemos entrar en un concepto bastante conocido y que se asemeja mucho a lo que acabamos de decir, este es la resiliencia.

Sabemos desde un inicio que esto hace referencia a la capacidad de adaptarse a todas las situaciones que se presentan ante nosotros, y actuar en consecuencia de estas sin tratar de cambiar las cosas y sin desesperarse por un futuro incierto.

Básicamente podemos decir que el estoicismo y la práctica de cada uno de sus valores nos invitan a recorrer este camino de resiliencia para vivir de mejor forma.

Si somos capaces de poner en práctica todos estos ejercicios relacionados con la filosofía estoica, entonces inevitablemente nos encontraremos en ese camino a la resiliencia y muy pronto lograremos hacer que esta forme parte de nuestras vidas mejorándolas notablemente.

Capítulo VII
Filosofía estoica y relaciones interpersonales

Sabemos que el estoicismo tiene plena conciencia de que los seres humanos buscamos inevitablemente relacionarnos con otros. Esto quiere decir que la filosofía no solo nos invita a poseer un autocontrol absoluto sobre nuestras emociones, sino que también nos motiva a relacionarnos e interactuar con los demás.

Las herramientas que esta forma de vida nos otorga para poder estar en contacto con otros individuos están relacionadas con la comprensión y la empatía.

Compasión y justica en las relaciones

A través de estas características podemos asegurar que nuestras relaciones interpersonales se darán de la forma más saludable posible evitando conflictos y todas las cosas innecesarias de las que nos aleja el estoicismo.

Pero hay que hacer un aporte extra en este sentido, ya que es necesario comprender que no todas las personas practican la misma filosofía de vida por lo que aprender a tolerar las diferencias que existen entre los individuos también es un paso importante para mantener las relaciones de forma armoniosa.

Digamos que los estoicistas tienen un punto a favor, ya que como se encuentran en pleno autocontrol son capaces de gestionar de una forma efectiva todas sus emociones negándole la oportunidad a los impulsos de controlar la interacción.

Existe otro aspecto importante que esta filosofía nos aporta para poder mejorar nuestras relaciones Y este tiene que ver con una de las virtudes que sirve de base para el estoicismo, la justicia.

Interactuar con otra persona es comprender que este individuo también tiene los mismos derechos que nosotros, por lo que no podemos actuar con superioridad o actitudes similares solo por qué estamos en control de nuestras emociones. De hecho, es importante comprender que hay que hallar la forma justa de actuar en todo tipo de relaciones, demostrando que respetamos la integridad del individuo frente a nosotros y también la nuestra propia.

Manejar conflictos con filosofía estoica

El estoicismo nos da las herramientas necesarias para manejar cualquier tipo de conflicto, sin importar que este se dé dentro de una relación.

Si hemos construido nuestra vida basándonos en esta filosofía entonces comprendemos que la presencia de un conflicto no representa un asunto que deba afectarnos en mayor escala. Sabemos que es inevitable que esto se presente en nuestras vidas, pero también conocemos la forma en la que debemos reaccionar ante cualquiera de estos.

En primer lugar, no es necesario que nos enfoquemos en demostrar quién tiene la razón, ya que esta no es una forma objetiva de abordar ningún conflicto. Solamente hay que mirar el problema de forma neutral tal como nos invita esta filosofía y para así encontrar una forma razonable de resolver rápidamente este inconveniente.

Esto sin duda evita que las relaciones puedan sentirse fracturadas de alguna forma, ya que estamos tomando en cuenta todos los puntos de vista y tratando de hallar la mejor solución que evite lastimar a todas las personas involucradas.

A través del estoicismo las relaciones pueden evitar las crisis y el caos que pueda desarrollarse debido a una mala gestión de los problemas.

Capítulo VIII
Estoicismo en el mundo laboral

En la actualidad el mundo laboral puede llegar a convertirse en un reto debido a todos los conflictos que tenemos que enfrentar a diario.

Aunque en muchas ocasiones intentemos gestionarlos de la mejor forma el estoicismo en su perfecta sabiduría ha establecido fundamentos que nos ayudarán en este sentido.

Sus enseñanzas vigentes nos permitirán aplicar ciertos elementos que determinarán nuestro éxito en este ámbito y nos ayudará a sentirnos satisfechos con las labores que hemos elegido.

Aplicar la filosofía estoica para afrontar retos profesionales

Hay muchas enseñanzas que le estoicismo nos ha dejado y qué podemos aplicar fácilmente en el entorno laboral.

Ceder el control

Si hay algo que damos por seguro respecto al estoicismo es que existen diversas situaciones que se salen por completo de nuestro control, inclusive en el mundo laboral donde pensamos que todo es posible.

A lo largo de tu carrera es posible que tengas que enfrentar miles de retos inesperados y que no sepas cómo manejar la situación debido a que es un asunto repentino. Lo primero es comprender que este tipo de situaciones están motivadas por agentes externos los cuales no estamos en capacidad de controlar.

Comprender que hay cosas que no podemos cambiar nos ayuda a concentrarnos en lo que sí y de esta forma hallar una solución más adecuada para cada momento, obligándolos a tomar las mejores decisiones y encontrar las respuestas más adecuadas para responder ante estos conflictos laborales.

Concentrarse en las soluciones

Los estoicos han establecido que lo único que podemos controlar son nuestros pensamientos y nuestras acciones, por lo que si colocamos nuestro foco en estas dos cosas lograremos resolver el conflicto rápidamente con las herramientas que tenemos.

Esta concentración no solo se verá reflejada al momento en el que resolvamos los problemas, sino que además mostrará al mundo que tenemos un compromiso real con nuestro trabajo y que siempre buscamos lograr los mejores resultados.

Hallar la virtud en lo que hacemos

Si pensamos en que los estoicistas establecen que el futuro está escrito y además que estamos destinados a morir, también podemos considerar que nuestro destino está relacionado con vivir en virtud. Esto no solo debe aplicarse a nuestra vida cotidiana, sino que además podemos llevarlo a nuestro trabajo donde en cada acción que tomamos se ve reflejada la filosofía del estoicismo.

Por esta razón, en lo laboral hay que considerar proceder con justicia, sabiduría, coraje y templanza. Y es que no hay que dejar de lado que a través de estas virtudes estamos cultivando nuestra integridad la cual debe permanecer intacta, sin importar el ámbito en el que nos encontremos.

Todo esto trae como resultado que nos convirtamos en profesionales regidos por la ética y la moral convirtiéndonos en personas más confiables en cualquiera de las áreas en las que nos desarrollemos.

Afrontar el estrés y las presiones con sabiduría estoica

Hacerle frente al estrés no es un reto para quién vive bajo la filosofía estoica Y es que al aceptar que hay situaciones que no podemos controlar, estamos cediendo gran parte de nuestro pensamiento negativo.

Esto quiere decir que no le damos paso a las preocupaciones, y estas no pueden consumirnos ya que su naturaleza es por completo externa y no podemos ocuparnos de cambiar algo que es imposible. Como consecuencia aprendemos que el estrés, quién forma parte de preocupaciones externas, va a desaparecer cuando comprendamos que no podemos controlar esos eventos.

Vía estoica en la era digital

Aunque el estoicismo se base en llevar una vida de autocontrol, despojándose por completo de los intereses en objetos triviales, no quiere decir que esté en contra de las posesiones, en especial de aquella que en la era moderna están ligadas a la tecnología.

Para el estoicismo moderno, esto puede representar una herramienta a través de la cual se puede cultivar el interés por la práctica de este estilo de vida, y llegar a pregonar esta filosofía de forma más eficaz.

Desde la llegada de la era digital, podemos ver que cada vez existe una mayor presión debido al estilo de vida de muchas personas, por lo que el estoicismo encaja perfectamente en las vidas de aquellas personas que buscan mantenerse lejos de estas situaciones que los llevan a estados de presión y de estrés constantes.

Pero las herramientas digitales pueden ser un arma de doble filo, en especial en este momento, donde las redes sociales nos invitan a comparar nuestras vidas con las de los demás, dejando en evidencia ciertas carencias que tenemos frente a otros.

Digamos entonces que esto motiva a muchas personas en centrarse a perseguir sueños inalcanzables y la felicidad donde no la encontrarán, es en este aspecto que el estoicismo puede tomar protagonismo importante y mejorar la vida de estas personas.

Si aprendemos a vivir pensando únicamente en lo esencial de la vida, entonces estaremos destinados a encontrar la plenitud y la felicidad en todo momento, dejando de perseguir sueños innecesarios y una falsa felicidad que parece nunca llegar.

El estoicismo entonces se apoyará en esta herramienta digital para servir de portavoz para convocar a las personas e invitarlas a tomar la iniciativa de cambiar su estilo de vida.

Capítulo IX
¿Cómo adaptar el estoicismo a la vida moderna?

Para poder integrar el estoicismo en la vida moderna, es necesario que tengamos un conocimiento amplio de esta filosofía de vida sin importar si tomamos en cuenta textos antiguos o textos modernos ya que cualquiera de estos contiene la sabiduría necesaria para poder vivir bajo los fundamentos escritos allí.

Y es que, por suerte para nosotros, los estoicistas establecieron un sistema cuya vigencia permanece aún después de miles de años de haberse establecido.

Gracias a que sus enseñanzas son fundamentales y básicas es posible aplicarlas no solo frente a la vida moderna, sino además frente a las relaciones laborales e interpersonales que tenemos que establecer a lo largo de nuestras vidas.

Libros recomendados

Un consejo práctico para que puedas comprender de mejor forma la filosofía estoica es el de leer algunos textos dedicados exclusivamente a desarrollar con bastante profundidad los conceptos básicos sujetos a esta.

Por supuesto que existen miles de textos que hacen referencia al estoicismo, sin embargo, hay algunos que son más específicos o prácticos y que sirve mucho mejor a la vida moderna. Y no solo se tratan de textos actuales ya que al leer algunos más antiguos podemos interpretar de una mejor forma el estoicismo para aplicarlo en nuestros días.

De cualquier forma, si lo que quieres es profundizar acerca de esta filosofía ya que la quieres comenzar a aplicar en tu vida entonces las recomendaciones de textos son las siguientes.

Textos actuales

Para la sección de textos de La era moderna del estoicismo tenemos:

- El obstáculo es el camino/Ryan Holiday.
- Invicto/Marcos Vázquez.
- Cómo ser un estoico/Massimo Pigliucci.

Textos antiguos

Pero si lo que necesitas es un clásico ya que quieres aprender sobre el estoicismo desde la raíz de esta corriente Entonces los libros recomendados para estos son:

- Meditaciones/ Marco Aurelio. Aunque este texto pueda considerarse un poco denso definitivamente contiene la esencia precisa de lo que buscamos comprender del estoicismo, y es que precisamente fue escrito por uno de los máximos representantes de este movimiento.
- Consolaciones, diálogos y epístolas Morales a Lucilio/ Séneca. Otro de los textos representativos creados por uno de los máximos exponentes del estoicismo.
- Un manual de vida/ Epicteto. Aunque no fue un texto escrito por él mismo, es considerado como una recopilación de la filosofía de este pensador. Aquí se logró conservar gran parte de sus enseñanzas y fue escrito por uno de los alumnos de este filósofo, Arriano.

Conclusiones

Desde hace mucho tiempo la filosofía estoica se ha establecido con mucho cuidado y siempre intentando seguir exactamente las enseñanzas de los primeros maestros que establecieron el estoicismo como una forma de vida virtuosa.

Desde su creación sus fundamentos básicos no han cambiado y esto se debe a que el éxito de la filosofía prácticamente está asegurado ya que contiene la fórmula perfecta para disfrutar de la plenitud que tanto merecemos.

Aunque este tipo de filosofía sea muy clara con todos sus participantes esto no significa que sea fácil de aplicar en nuestras vidas ya que hay que tener un gran control mental para poder lograr cada uno de los objetivos que nos propone el estoicismo.

En primer lugar, hablamos de siete fundamentos importantes los cuales nos dan una base segura para poder construir a partir de allí nuestras vidas.

Cada una de estas virtudes es tan importante como la anterior ya que cuando se reúnen por completo entonces la persona interesada por esta filosofía está comenzando a vivirla y experimentarla realmente.

Zenón, creador de esta filosofía, estableció que existían cuatro pilares fundamentales del estoicismo que nos permitirían vivir por completo en virtud respetando nuestros deseos y de los demás y actuando con conciencia para atraer la felicidad a nuestras vidas y también a las vidas de quienes nos rodean.

Y es que la virtud es la forma de vida que los estoicistas escogen para actuar de la mejor manera sin traer consecuencias negativas a sus vidas o a la de los demás. También toman en cuenta que si una es la virtud y la tranquilidad entonces fácilmente podrían llegar a alcanzar la felicidad la cual se encuentra justo en el presente y no en el futuro tal como pretendemos creer cada vez.

La razón por la cual muchos establecen que la felicidad es una interpretación es debido a que no son capaces de separar la ficción creada por nuestras impresiones de la realidad. Los grandes estoicos nos invitan entonces a ser capaces de emitir juicios razonables a partir de un análisis profundo de las situaciones.

Si te encuentras introduciendo esta filosofía en tu vida debes saber que cuando está frente a una situación o algún estímulo no debes caer en el engaño de reaccionar de inmediato y forjarse una primera impresión, sino que es obligatorio para ti comenzar a dudar de los hechos observables para así darse cuenta que la verdad solo existe y depende de nosotros interpretarla a nuestro favor.

El estoicismo nos invita también a poner de nuestra parte las mejores capacidades mentales donde podemos concentrarnos en nuestro objetivo para así controlar nuestras propias emociones y finalmente cumplir aquello que el destino establecido por nosotros.

Otra característica fundamental del estoicismo es que sus practicantes deben comprender y aceptar que el destino sea establecido indudablemente para todos y que no existe una forma de escapar de él.

Pero ese concepto de resignarse ante lo que el destino ha preparado para ti puede llegar a sonar un poco triste por lo que los estoicos en este caso nos invitan a conocer más sobre él Amor Fati, un elemento que nos hace una clara invitación a que no solo aceptemos nuestro destino, sino que además amemos la situación ya que realmente está existe como una especie de reto que nos ayudará a crecer personalmente una vez que finalice.

Procesar rápidamente todo lo que está sucediendo a nuestro alrededor y darnos cuenta de que es nuestra actitud lo que determinará si tendremos éxito o si sufriremos es una de las mejores características que tiene esta filosofía de vida.

En otros aspectos al observar que solo necesitamos hacer pequeños cambios en nuestra rutina diaria emociona a muchas personas que quieren formar parte de esta filosofía estoica que sin duda alguna les ayuda a superar todos los obstáculos que existía.

Todo esto puede ser más fácil de lograr si solo viviéramos bajo las virtudes establecidas por el estoicismo las cuales son justicia templanza coraje y sabiduría, cada uno de estos trabajando en función de tomar las decisiones más acertadas que sean incapaces de perjudicar a un colectivo o a un individuo

Solo quienes viven con estas virtudes en su corazón saben que la conciencia parece tan liviana debido a que actúan en base a las recomendaciones de los grandes estoicos para enfrentar la vida.

Si no crees en este ejemplo Entonces es bueno que observes la vida Zenón, Epicteto, Séneca y Marco Aurelio, los cuatro representantes máximos del estoicismo a lo largo de la historia siendo este último bastante importante.

Marco Aurelio es uno de los personajes más emblemáticos de esta filosofía no solo porque la practicó de todo corazón a lo largo de su vida, sino que también se pudo ver la influencia de esta sobre sus cargos políticos los cuales realmente no deseaba aceptar.

Pero hasta se dio cuenta del que el destino quería que fuera un emperador Así que con un poco de disgusto tomó esta misión y logró completarla con éxito

Fue debido a la forma en la que llevaba con virtud toda su vida que esté gobernante se estableció como uno de los más amados para la época y fue conocido por su sentido de justicia, su infinita sabiduría y la capacidad que tenía de ayudar a otros.

En todos los aspectos de nuestra vida debemos aceptar todas las cosas tal y como suceden ya que está escrito en nuestro destino.

Así vivió durante mucho tiempo el emperador mostrando la mejor cara de su nación y de sus ciudadanos gracias a este estilo de vida que practicaba y además pregonaba.

Entendió además que hay situaciones que se escapan por completo de su control por lo que las soluciones que buscaba estaban relacionadas únicamente con las cosas que sí podía hacer.

Otro de los temas que la filosofía estoica toca de forma directa es la muerte. Como sabemos el estoicismo se caracteriza por ser directo y dar respuestas evidentes más que reflexiones complicadas que la gente pudiera interpretar de forma negativa. Nos recuerda cada momento que la muerte es una situación irreversible por la cual todos tenemos que pasar, además saben perfectamente que el destino ha establecido día fecha y hora para que podamos partir de esta tierra en paz.

Y no solo se trata de vivir sabiendo que en algún momento vamos a morir, sino que apreciando el presente sin importar la situación ya que es justo en este momento que podemos disfrutar de lo que queremos y portarnos de la mejor forma posible con nuestros seres queridos.

En ocasiones nuestros actos suelen estar sujetos algún tipo de interés y muchas veces esto se proyecta en el futuro, es decir que algunos piensan que su proceder actual podrá modificar el plan del destino y llevarlos a ser de una forma completamente distinta. Pero la realidad es que lo único que debemos disfrutar es la actualidad para que no nos perdamos un momento de la vida y para que disfrutemos dentro de los límites de lo respetable y nos convirtamos en esclavos de nuestros deseos.

El presente y su aceptación es muy importante para poder manejar todo lo que el destino tiene para una sola persona.

Es por esto que antes de convertirse en un estoico los individuos leen un poco más sobre esta filosofía de vida a través de los textos más recomendados y representativos de la misma.

Pero sin lugar a dudas lo más importante de este movimiento es establecer una forma consciente que nos lleve a comprender de mejor manera todo lo que los individuos a nuestro alrededor puedan sentir evitando afectarlos en todo momento.

Si te ha interesado el estoicismo y quieres aprender un poco más de cómo establecer este estilo de vida como el tuyo Entonces es necesario que sigas al pie de la letra todos los consejos prácticos que se han recopilado para que se pueda integrar de forma práctica él estoicismo en la vida de cada persona.

Lo mejor de esta filosofía es que en la actualidad se encuentra vigente Y la mayoría de sus aplicaciones se dan directo de los libros antiguos escritos por aquellos representantes máximos de esta filosofía Y aunque existan textos considerados como modernos su esencia es exactamente la misma.

Esto quiere decir que le estoy fijo es aplicable a diversas situaciones modernas por ejemplo puede ser útil en nuestra vida laboral, así como en la forma en la que nos relacionamos con otras personas.

Los resultados que obtendremos de vivir con virtud serán en todo momento favorables ya que los filósofos aseguran que si aplicas esto con seguridad recibirás lo mismo que das.

Reflexiones finales

Reconociendo que esta filosofía no ha cambiado absolutamente nada desde su creación podemos decir entonces que Zenón fue muy cuidadoso al establecerla y al enseñarle a sus discípulos la forma correcta de vivir bajo todos los argumentos que le estoy sismo ofrece para sus practicantes.

Además de esto hay algo muy importante a tomar en cuenta y es que desde que se establecieron las cuatro virtudes del estoicista las cuales son sabiduría coraje templanza y justicia, nos damos cuenta que tan solo estos cuadros engloban perfectamente una gran cantidad de valores que se derivan de ellos. Esta fórmula perfecta se ha convertido en algo inalterable con el pasar del tiempo tanto así que ninguno de sus máximos representantes logró agregar uno más a la lista ya que se cree que en su forma pura es perfecta.

Integrar el estoicismo en nuestras vidas no es un ejercicio difícil hablando de instrucciones a seguir, sin embargo, hay algo muy importante que debemos tomar en cuenta en todo momento Y es que cada vez tenemos que hacernos más conscientes de nuestros pensamientos y emociones para poder manejarlos de forma exitosa y reaccionar en virtud de la neutralidad de cada asunto. tener la verdadera voluntad de cambio Y ser disciplinados cada día nos permitirá acercarnos cada vez más al modelo de estoicismo en nuestras vidas y a mejorar esta significativamente.

Beneficios

Analizando toda la situación tal vez exista una gran cantidad de beneficios que podemos obtener al cambiar nuestra vida al estoicismo sin embargo hay algunos que se manifiestan de inmediato por lo que se toman en cuenta con mayor rapidez que otros.

Al comenzar a integrar el estoicismo en nuestras vidas podemos darnos cuenta con facilidad que adquirimos una mayor cantidad de conocimientos y los aplicamos de forma acertada en cada caso, lo que nos lleva a convertirnos en personas más prudentes y sabias.

Otro de los beneficios que podemos obtener del estoicismo es el vivir bajo la virtud actuando siempre conforme a la moralidad y pensando en el bienestar de todas las personas que están involucradas en diversos aspectos del inconveniente. Si nuestro proceder se hace de manera consciente y sin perjudicar a los demás entonces nuestra conciencia en todo momento se sentirá tranquila y descansada permitiéndonos absorber las sensaciones en tiempo real.

Al convertirnos en personas justas entonces los demás verán ciertas virtudes en nosotros y valorarán nuestra compañía y nuestro proceder dándonos su confianza por completo e inclusive ofreciéndonos un ambiente perfecto para el desarrollo de nuestras actividades cotidianas.

Pero creo que la mejor parte de vivir bajo la enseñanza del estoicismo es aprender a aceptar todo tipo de situación que el destino nos ponga en frente ya que es algo que realmente no podemos cambiar.

Pero si somos capaces de aceptar lo que nos toca vivir Entonces definitivamente nuestras vidas se mantendrán alejadas de la frustración Y de cualquier sentimiento desagradable que no nos deje continuar.

El estoicismo es una corriente filosófica muy sencilla de abordar pero que pone a prueba lo mejor de nosotros permitiéndonos actuar con serenidad y con amor

Así que si quieres comenzar a aplicar este en tu vida entonces es un buen momento para seguir los consejos prácticos que has visto con anterioridad en este libro.

Milton Keynes UK
Ingram Content Group UK Ltd.
UKHW010654080324
439098UK00001B/38